# 言語哲学がはじまる

野矢茂樹
Shigeki Noya

Eurus
Notus
Boreas
Zephyrus



岩波新書
1991

# はじめに

私たちの言語は巨大で複雑です。具体的な興味深い問題は無数にあります。例えば、「雨に降られた」って、「降る」は自動詞なのになんで受身にできるんだとか、でも「財布に落ちられた」と言えないのはなぜなんだとか、なんでお汁粉と性格に同じ「甘い」という言葉を使うんだとか。考えてみたくなる問題がぞろぞろぞろぞろ。

私はそういう問題を考えるのが大好きです。でも、そうした問題はむしろ言語学の話題になるでしょう。哲学は、もっと根っこのところに向かっていきます。「ミケは猫だ」、これがどういう意味なのかだけでえんえんと議論が尽きないのです。そのおおもとには「言語って、何なんだ」という大問題があります。とはいえ、いきなり「言語とは何か」と問題を掲げてもあまりにも問いが茫漠としています。そこで、「ミケは猫だ」です。この最もシンプルな文に、「言語とは何か」という大問題が絞り込まれていきます。この本はそこに飛び込んでいきます。予備知識はいりません。ふだん言葉を使っていて、そしてたまに「言葉って、なんか、不思議だ」と感じる心をもっていれば十分です。

二〇世紀の哲学を特徴づける言葉として「言語論的転回」と言われたりもします。哲学の諸問題は言語を巡る問題として捉え直されるべきだとして、言語こそが哲学の主戦場だと見定められたのです。さすがに現在では、言語だけが哲学の戦場だとする極端な考えは影を潜めていますが、言語について考えることが哲学全体にとって重要であるという認識は動きません。そして言語論的転回をもたらしたのが、一九世紀の終わりから二〇世紀の初めに起こった哲学における革命的と言ってもよい変化です。その時代に、ゴットロープ・フレーゲとバートランド・ラッセルによって現代論理学が打ち立てられ、それとともに言語に対する考察が大きく前進しました。そして、そこにルートヴィヒ・ウィトゲンシュタインが歩み出てきます。この三人の哲学者において言葉についての問いと答えが重なり合い、つながり合っていきます。それを、これから語っていきたい。

私自身は、多少ウィトゲンシュタインをかじった程度の、言語哲学というお寺の門前の小僧にすぎません。でも、だからこそと言わせてもらいましょう、気楽に楽しめるのです。詳しい話は本文でしますから、ちょっと誇張してイメージだけ言うならば、とんでもない知性の持ち主たちが三人寄ってたかって、「ミケは猫だ」ってどういう意味なんだ、そもそも言語って何なんだ、いや、そんなこといきなり言うんじゃなくて「猫」ってどういう意味よ、それを言うなら「ミケ」だって、と論じ合ってる感じです。それは、まさに言語論的転回を切り拓いていくフロンティアの熱気に満ち溢れたものでした。そこでその熱気にあおられて、小僧さんも何か言いたくなってくる。わいわいわい。

この楽しさをおすそ分けしたいというのが、この本を書いた動機です。何が楽しいって、みんなが試行錯誤していて、これが正解ですってのが見えてこないけれども、どうやら前に進んでいるみたいだぞという手ごたえがある。読者にもこの感触を味わってもらいたい。

といっても、必ずしも歴史的順序に従ってお話しするわけではありません。言語哲学史ではなく、言語哲学の根幹に関わる考え方をある程度再構成して、お話しします。ですから、言語哲学の歴史における実際からではなく、むしろ私たちの身近な問題から、話し始めることにしましょう。さあ、言語哲学のはじまりです。

アリスはひどくめんくらいました。
帽子屋の言うことは、どうみても
なんの意味もないように思うのですが、
それでもそれはたしかに言葉だったのです。

Alice felt dreadfully puzzled.
The Hatter's remark seemed to have no sort of meaning in it,
and yet it was certainly English.

collaged and translated by Sig Noya

# 目　次

目　次

目　次

# 第一章　一般観念説という袋小路

# 1　どうして言葉は新たな意味を無限に作り出せるのか

## 新たな意味の産出可能性という問題

私たちは新しい言葉を作り、それを読んだり聞いたりします。新語を作ったり新しい比喩を作ったりもしますが、もっと地味な新しさに溢れています。例えば、まさに私はいま新しい言葉を書き出していますし、あなたも生まれて初めて読む言葉と出会っているわけです。「電車の遅延で会議に遅刻します」なんて文にはなんの目新しさもありませんが、それでもこれは私にとって生まれて初めて書いた、「新しい」文です。そしてこのような新しさは、新しいと意識されないほど抵抗なく、すらすらと理解できるでしょう。でも、なぜでしょうか。

例えば「猫が富士山に登った」という文を考えてみましょう。こんなありそうにない文でも、その意味するところはたちどころに理解できます。言葉は新たな意味を次々と生み出し、私たちはそれをやすやすと理解する。どうしてそんなことができるのか。さらに言えば、文の長さに上限はありませんから、新たに生み出される意味は無限に可能です。だけど、人間には無限の文を記憶するような能力はありません。私の記憶力なんて、そりゃあ貧弱なものです。でも、そんな私にでも、新たな意味をもった文を際限なく作り続けることができます。どうしてそんなことができるのでしょうか。

この問題を「新たな意味の産出可能性の問題」と呼びましょう。ごたいそうな名前で恐縮ですが、こうして名前をつけておいた方が話がしやすいのです。とはいえ、この問題に答えるのはそんなに難しくないように思えるかもしれません。よかったら少し考えてみてください。

> 新たな意味の産出可能性の問題　新たな意味をもった文を無限に作ることができ、容易に理解することができるのはなぜか。

どう考えていいか分からないという人もいるでしょうね。ひとつのアドバイスは、具体的に考えてみる、というものです。例えば、「猫が富士山に登った」という文を考えてみましょう。生まれて初めてこの文を読んだときに、荒唐無稽な文だとは思ったかもしれませんが、意味はすぐに分かった。なぜだと思います？

やっぱり、少し考えてほしいな。

さて、どうでしょう。「猫が富士山に登った」、まあ、全部知ってる単語だからね。そうそう、そんな感じです。――「猫」という語は知っている。「富士山」も分かる。「登った」ということも分かる。それらはすべて既知の語です。そこに新しさはありません。文全体は「……が～した」という型で、このような文型も目新しくはない。語の組み合わせ方は文法の知識です。逆に、知らない語が文中にあると、理解できなくなります。例えば、「キョン」という語を知らない人は、「キョンが富士山に登った」という文を読んでも意味が分かりません。（キョンというのは鹿の一種で、動物園などから逃げ出したキョンが、房総半島や伊豆大島で野生化しているらしいです。）さらには、「キョンがガレ場をトラバースした」だと、もう日本語に思えないという人もいそうです。それに対して、「猫が富士山に登った」は既知の語を既知の文法に従って作った文だから、初めて読んでも意味が分かる。こうして、新たな意味の産出可能性の問題に対するひとつの自然な答えが見えてきます。

## 言語は有限の語彙と文法からなる

語彙の知識も文法の知識も有限です。インターネットの情報によると、ふつうの日本人の知っている語彙数は三万から五万だそうです。「ふつうの日本人」ってのもよく分かりませんが、有限であることは確かです。文法の知識については微妙で、ふつうの日本人が日本語の文法をきちんと答えられるかというと、私などは動詞の活用もちゃんと言えません。でも、日本語が適切に使えているのであれば、たとえ表立って文法を言えないとしても、文法の知識はもっていると言ってよいでしょう。そして文法の知識も、有限の範囲に収まります。あとは、文法に従って語彙を組み合わせれば、文の長さに上限はありませんから、いくらでも長い文が作れる。かくして、初めて出会う文が無数にできるというわけです。これが、有限の記憶容量しかもたない人間が、無限に新たな意味を作り出せる仕掛けではないでしょうか。

新たな意味をもった文を無限に作ることができ、容易に理解することができるのはなぜか。──言語は有限の語彙と文法よりなるからだ。

新たな意味の産出可能性の問題に対する答えは、とりあえずこれでよさそうです。でも、この正しいと思われる一歩──いや、こういう言い方をすると「だけどほんとは正しくない」と続くんじゃないかと身構えられそうですが、いま踏み出したこの一歩に関しては正しいと私も思っています。でも──、この答えはごく自然にこう考えるよう私たちを誘うでしょう。文の意味を理解する前に、まず語の意味を理解しているのでなければならない。「猫が富士山に登った」という文を理解する前に、「猫」、「富士山」、「登った」という語の意味を知っていなければだめだ、というわけです。これも、当然のことと思えます。だけど、このあたりから、実は怪しくなってきているのです。文の意味の理解は語の意味の理解から成り立っている。それゆえ、まず語の意味を文の意味に先立って理解していなければならない。では、語の意味とは何か。それを文の意味について論じる前に考えておかなくちゃいけない。この当然とも思える考え方をひっくり返したのが、フレーゲなのです。

だけど、ひっくり返すといってもどういうことなのか。語の意味も分からないのに文の意味が分かるはずもないでしょう。文の意味を理解する前に語の意味を理解しておかなければいけないというのは、あたりまえのことじゃないですか。

いや、哲学はしばしば、あたりまえがあたりまえじゃなくなったところから始まります。そして私たちはまさにそこにいるのです。「猫」の意味も「富士山」の意味も、私たちはよく分かっている。だから、「猫が富士山に登った」なんて文も理解できる。では、「猫」の意味は何でしょうか。こんなふうに問いを立てると、むしろ逆に尋ね返されそうです。「猫」の意味なんてもうよく分かっている。なのに、「「猫」の意味は何か」なんて、どうして問わなくちゃいけないのか？

哲学の面白さのひとつは、ひとが立ち止まらないところで立ち止まり、分かっていたつもりのことが分からなくなって、そこに思ってもみなかった問題が開けることにあります。それこそが哲学の最大の面白さだと言ってもよいでしょう。だから、しばらくこの問題につきあってみてください。「猫」の意味、それは何でしょうか。

## 2 「猫」の意味は何か

### 「富士山」と「猫」

「富士山」の意味は何かと尋ねられて、「静岡県と山梨県にまたがる日本一高い山のことだ」と答えたとしましょう。この答え方だと、少なくとも「静岡県」、「山梨県」、「日本」、「山」といった語の意味を理解している必要があります。語の意味を言葉で説明すると、こんどはその説明に使われている語の意味を説明しなければなりません。「猫」なんかだと言葉で説明するのも至難の業です。例えば、「体はしなやかで、鞘(さや)に引きこむことのできる爪、ざらざらした舌、鋭い感覚のひげ、足裏の肉球などが特徴」(『広辞苑』第七版)なんて説明しても、「「鞘」ってなに?」、「「肉球」ってなに?」と、意味を説明しなければならない語の数が増えただけという感じです。もちろん、未知の語の意味を既知の語を使って説明してもらうということは、あるでしょう。しかし、説明に使われている語の意味が再び問題になる以上、「そもそも語の意味とは何なのか」という哲学的問いに対する答えにはなっていません。

だとすれば、「富士山」の場合、現物を提示することになるでしょう。つまり、実物や映像を見せながら「富士山」と呼ばれるものを実際に指し示して、「これが「富士山」だ」と教えるわけです。実はこの場面でも考えなければいけない哲学的問題が発生するのですが、いまはこのやり方を受け入れておきましょう。「富士山」はある対象の名前である、そう考えておきます。ここで問題にしたいことはこの先にあります。

じゃあ、「猫」の意味は何なのか。

「「猫」って、どういう意味？」と子どもに尋ねられたら、どう答えます？　その子は日本語以外の言葉は知りません。だから「「猫」は“cat”だよ」なんて答えることはできない。「「猫」の意味は何か」というのは実は難しい問題なのですが、でも、その難しさを実感してもらうためにも、少し考えてみてください。（三〇秒間、途方に暮れるだけでもけっこうです。）

「猫」の場合も「富士山」の場合と同じように考えられるのではないか。この方向で進んでみましょう。あらかじめ伝えておけば、この道は行き止まりです。少なくとも、やがて袋小路に入り込んだように思えてくるでしょう。しかし、その袋小路から脱出するフレーゲの考え方を見るには、まずはその道を進んでみなければなりません。

「富士山」はある対象の名前だ。同様に、「猫」もある対象の名前なのだ。この考え方が、いま進もうとしている方向です。そこでまず、「富士山」のような語と「猫」のような語の違いを押さえておく必要があります。「富士山」のような語は「固有名」と呼ばれます。「猫」のような語はそれに対して「一般名」と呼んでおきましょう。これからだんだん言語哲学特有の用語が出てきます。そこでつまずいてしまう初心者もいると思います。なるべく繰り返し説明しながら進めていくつもりですが、用語の意味が分からなくなったら、どうぞ巻末の索引を利用して、その用語の説明があるところを読み直してください。

まず「固有名」という用語。固有名とは、「富士山」のように、ある一つの対象の名前です。ふつうは「固有名詞」でしょうが、言語哲学では「固有名」と言います。なぜでしょうね。私もはっきりしたことは分かりませんが、おそらく、「固有名詞」というのは品詞分類として名詞の一種であることを表わす用語で、それに対して「固有名」は、その役割、つまりただ一つの対象を名指すという役割を表わす言葉として使われているのではないでしょうか。

固有名が名指す一つの対象を「個体」と言います。人物ならば「個人」ですが、人間以外の動物や物の場合もありますから、「個体」と呼ばれます。

ひとこと注意。学生にレポートを書いてもらうと、たいてい五十人に一人か二人ぐらい、「固体」と書いてきます。それで固有名の方は「個有名」と書いたりして。確かに、紛らわしいですよね。「固有名」の「固」は「かたい」という意味もありますが、ここでは「キジは日本の固有種だ」なんていうときの「固」で、そのものにもともと備わっているといった意味でしょうか。「個体」の「個」は個別の「個」です。これを「固体」と書いちゃいけません。

説明を続けましょう。「富士山」は富士山という個体の名前です。ですから、「富士山」という固有名の意味はあの山——富士山という個体——だと言えそうです。同様に、「伊藤博文」は伊藤博文という個体の名前ですから、「伊藤博文」という固有名の意味はあの人物、つまり伊藤博文という個体だと考えられます。

## 指示対象説

この考え方、つまり、固有名は個体の名前だという考え方を、語の意味一般に拡張すると、「語は何かある対象の名前だ」という考え方が出てきます。ここでも、用語を導入しましょう。ある語句がある対象の名前であるとき、その語句がその対象を「指示する」と言います。そして、指示されるその対象は「指示対象」と言います。固有名の場合で言えば、「富士山」は富士山という山を指示し、「伊藤博文」は伊藤博文という人物を指示します。そしてこの考え方を、固有名だけではなく、「猫」のような語にまで拡張することも自然なことに思えます。

固有名はある一つの対象(個体)の名前ですが、「猫」は特定の一匹の猫だけが猫というわけではありません。いままで生きていた猫、いま生きている猫、そしてこれから生まれる猫も、「猫」です。(さらに言えば、フィクションの猫も含まれるでしょう。『トムとジェリー』のトムとか、わちふぃーるどのダヤンとか、ひこにゃんも……猫、ですよね。)一般名は、過去・現在・未来を通した猫たちの集まり、それは猫の無限集合と言えますが、特定の個体だけではなく、そのように集合に関わっています。「富士山」は固有名ですが、「火山」は富士山だけではなく、阿蘇山もキラウエアも火山ですから、一般名です。「伊藤博文」は固有名ですが、「内閣総理大臣」や「政治家」あるいは「哺乳類」は一般名です。

そこで、語句の意味をその語の指示対象だとする考え方を「指示対象説」と呼びましょう。固有名に対しては、指示対象説はもっともらしく思われます。それに気をよくしてというわけでもありませんが、一般名の意味も指示対象だと考えたくなります。つまり、一般名に対しても指示対象説が成り立つだろう、と。自然な道行きですが、こうして私たちは危険地帯へと誘いこまれていくのです。

指示対象説は固有名と一般名に対して主張されるのが基本でしょうが、他のタイプの語はどうでしょう。助詞や接続詞——これはだめそうですね。「は」という助詞の指示対象って、あるいは「しかし」の指示対象と言われても、何を考えてよいのか見当もつきません。でも、もし一般名に対して指示対象説が妥当なら、動詞はいけそうに思えます。動詞はすぐに名詞になりますから。「歩く」は「歩き」、「笑う」は「笑い」、「飲む」の名詞を「飲み」というのは個人的にはいかがなものかと思いますが、そういうときには「飲むこと」のように「こと」をつければ動詞は名詞になります。ですから、名詞に対して指示対象説がうまくいくなら、動詞もだいじょうぶそうです。そして、名詞と動詞でオーケーなら、名詞と動詞が文の骨格を作りますから、指示対象説は言葉の意味とは何かという問題に対して、かなり強力な説ということになるでしょう。

形容詞や副詞はどうなんだろうと思った人もいるかもしれません。私は最初、形容詞はなんとか指示対象説がやれそうだけど、副詞はだめだろうと思っていたのですが、しばらく考えて、あ、形容詞もだめか、と思うようになりました。なかなか面白いところです。よかったら考えてみてください。(「ゆっくり」という副詞、「赤い」という形容詞、そして「長い」という形容詞などを考えてみてください。) いまは先を急ぎましょう。

指示対象説は固有名の場合に最もしっくりきます。そこで問題にしたいのが、一般名の場合です。指示対象説に従うと、一般名の意味はその語の指示対象ということになります。では、一般名の指示対象は何でしょうか。例えば、「猫」という語の指示対象は何でしょう。

## 3　個別の猫と猫一般

**太郎は「猫」の意味が分からない**

> 問題　「猫」という語の指示対象は何か?

答えは簡単だと言われるかもしれません。「猫」という語の指示対象は猫という動物でしょ、と。いや、まあ、そうであるとして、それなら、その対象はどこに存在しているのでしょう。——どこに存在してるって、我が家にも存在してるよ。あっちで寝てるんじゃないかな。——そう、確かにそれも「猫」です。でも、それだけじゃないでしょう?

ここには難しい問題があります。だけど、この問題は伝わりにくいのですね。我が家にいると言われたそれは、例えばミケという名前の個体(個々の対象)です。「ミケ」という固有名ならばその特定の個体が指示対象になるでしょう。しかし、「猫」という一般名の指示対象はミケだけではありません。ですから、うちにもいるよ、ほら、あそこで寝てると指差しても、それは一匹の個体にすぎず、「猫」という一般名の指示対象としてはまったく不十分です。さらには、もう死んでしまった多くの猫たち、まだ生まれていない無数の猫たちも、「猫」です。それをどう指示すればよいのでしょう。「猫」の指示対象はどこに存在しているのかという問いは、そういうことを問いたかったのです。この問題の難しさが、伝わったでしょうか。

では改めて問います。「猫」という語の指示対象は何でしょう。

私は、哲学の授業なんかでこの問題を提示するのに、かなり変てこなエピソードを想像してもらったりします。でも、もしかしたらそのやり方はあまりうまくないんじゃないかとも思い始めています。学生諸君はエピソードの奇妙さに目を奪われて、問題の核心がかえってつかめないでいるかもしれません。だけど、私はこの話をするのがなんだか好きなんですね。それで学生たちの当惑する顔を見るのが好きという、教師としては適切とは言い難い趣味に負けてい

るのです。で、ここでもその誘惑に屈して、読者の当惑する顔を想像してひとりニヤニヤすることにします。ごめんなさい。

太郎君という子どもが登場します。太郎君に「猫」という語の意味を教えるとしましょう。これは、お父さんが太郎君に「猫」の意味を教えようとして挫折するというエピソードです。太郎君はかなり賢い子なのですが、なぜか「猫」の意味を学ぶことができない。何かが足りない。それは何だろうか。

お父さんが『広辞苑』を開いて「太郎、猫というのはね、体はしなやかで……」などと説明しても、さらに説明しなければいけない言葉が増えるだけだというのは、先に言いました。ですから、お父さんは太郎君を連れて散歩に出ます。実際に猫の現物を見せようという考えです。さっそく一匹の猫を見かけたので、お父さんはそれを指差して太郎君に「これが「猫」だよ」と教えます。太郎君は「分かった。これが「猫」なんだね」と納得します。これで話が終わればいいのですが、そうはいきません。

歩いているとまた猫がいます。そこでお父さんは「あそこにも猫がいるよ」と指差します。ところが太郎君いわく、「お父さん、あれは猫じゃないよ。さっきのとは違うもの」。

読者は「あれ？」と首を傾げたかもしれませんが、お父さんも「あれ？」と首を傾げ、「いや、あれも「猫」なんだ」と言います。太郎君は「分かった。あれも猫なんだね」と納得します。しばらく行くとまた猫がいるので、お父さんは「今日はなんだかずいぶん猫に会うね。あそこにも猫がいる」と言います。すると太郎君はこう言うのです、「お父さん、あれは猫じゃないよ。さっきまでのとは違うもの」。

何が起こっているのでしょう。最初の一匹に対してお父さんが「猫」と言ったとき、太郎君は「猫」というのはその一匹に対する名前だと思ったのです。つまり、「猫」は固有名で、お父さんが指差した個体の名前だというわけです。そのように誤解していたから、二匹目が指示されたときに「あれは猫じゃないよ」と応じた。でも、「それも「猫」なんだ」と言われて、こんどは「猫」というのはその二匹に対する名前だと思うのです。ちょうど二人組の漫才コンビが、ええと、「ナイツ」とか、なんでもいいです。その場合、二人からなるコンビが指示対象ということになります。太郎君は「猫」という語をそのようなさっきのといまのを合わせた二匹からなるコンビの名前だと思ったんですね。

そうすると、次の場面はもう予想できるでしょう。散歩はまだ続きます。猫がいる。お父さんが「また猫がいた」と言う。すると太郎君は「お父さん、あれは「猫」じゃないよ」と言う。いよいよお父さんは頭を抱える。

「これも「猫」なんだ」と言うと、太郎君は「分かった」と言う。でも、こんどはその三匹のトリオの名前だと思うのです。ちょうどYellow Magic Orchestra（ＹＭＯ）が三人組に対する固有名であるように、です。こうなると、何匹の猫を指示して「これも猫だ」と言ったところで事態は変わりません。たんに指し示されるグループが大きくなるだけです。

## 個別性と一般性のギャップという問題

さて、変てこなエピソードを想像して面白がるのはこのくらいにして、問題の核心を取り出しましょう。お父さんは太郎君と散歩して、現物の猫を示すことで「猫」という一般名の意味を教えようとします。しかし、そうやって出会う猫は個々の猫にすぎません。「猫」という語の意味は特定の猫ではなく、また、特定の猫のグループにつけられた名前でもなく、あらゆる猫、これから生まれてくるだろう猫も含めた猫一般を意味しています。問題は、お父さんがどれほど太郎君を連れまわそうと、猫一般なんかには出会えないということなのです。寝ているのは特定の一匹の猫、つまり、猫個体です。猫一般が寝ているなんてことはありません。また、猫の無限集合を持ち出そうとしても、猫の無限集合が寝ているなんてこともありません。

とすれば、「猫」という語はこの世界の中に指示対象をもたないように思われてきます。一般名の指示対象は一般性をもっていなければいけません。だけど、実際にこの世界で私たちが出会えるのは個体です。じゃあ、一般名の意味をどう理解すればよいのか。

あるいは動詞の意味を考えてみましょう。名詞には個別の対象を指示する固有名がありましたが、動詞には個別の動作だけを意味する「固有動詞」のようなものは見当たりません。動詞はすべて一般的な動作を意味していそうです。「走る」は、ある日ある時ある場所である人が走った個別の動作だけでなく、同様の他の動作も含む一般性をもっています。しかし、私たちが目撃できるのは、個々の動作だけです。だから、ここでも「太郎、これが「走る」という動作だよ」と教えても、太郎君はその動作だけを「走る」の意味だと思うでしょう。

一般名や動詞の意味は一般性をもっている。だけどこの世界の中で出会えるのは個別のものでしかない。ならば、どうやって私たちは一般名や動詞の意味を理解しているのでしょうか。これはもう太郎君だけの問題ではありません。この問題を「個別性と一般性のギャップの問題」と呼んでおきましょう。「猫」を例にとって問題を立てておくならば、こうなります。

> 個別性と一般性のギャップの問題　「猫」の意味は一般性をもっている。しかし実際に出会えるのは個別の猫でしかない。ならば、どうやって私たちは「猫」の意味を理解しているのか。

## 4　心の中に猫の一般観念を形成する？

「猫」は猫の一般観念を指示するという考え

次を全部認めたとしましょう。

① 「猫」の意味はその語の指示対象である。
② 「猫」の意味は一般性をもっている。
③ 実際に出会えるのは個別の猫でしかない。

とすると、「猫」という語は何か猫一般であるような対象を指示していなければいけませんが、それはこの世界の中には存在しない、ということになります。★1 こういうときの逃げ道は――「逃げ道」なんて言うとそっちに進んだジョン・ロックに失礼ですけど――、心の中を持ち出すことです。哲学史的な事実として、ロックが個別性と一般性のギャップに悩まされていたのかどうか、私はよく知りません。でも、彼が『人間知性論』において提唱した考えは、この問題に対する応答として見ることができます。

世界の中で出会う猫はすべて個別の猫です。ここで、「世界」というのは心の外の世界だとしましょう。「心の外」というのもよく分からない言い方ですが、つまり、部屋の中や木陰といった私たちの周りの環境のことです。というのも、ここからの議論は心の中と外を区別することによって成り立っているからです。心の外の世界には「猫」の指示対象になるような一般的猫などいやしない。だからそれは心の中にある。ロックはそう考えます。

私たちは、大きさ、色、毛の長さ、尻尾の形等、さまざまな猫に出会う。成長しても二キロに満たない猫もいれば、二〇キロに及ぶ猫もいるそうです。ほぼ無毛だったりふさふさの長毛だったり、毛の色や柄もほんとにいろいろです。でも、とロックは言います、そうした個々の猫たちから多様性をはぎとった一般的な猫の観念を心の内に形成するのだ、と。「観念」とは、心の中に抱くイメージのようなものと言えそうにも思いますが、イメージだと言うと、ロックに怒られそうです。じゃあ、何なのか。その点はちょっと棚上げにしておきましょう。

心の中に形成された一般性をもった観念は「一般観念」とか「抽象観念」と言われます。そして、個々の多様な事例から一般観念を形成することを「抽象する」と言います。つまり、「猫」という語の意味は、個別の猫たちから抽象されて心の中に形成された猫の一般観念だ、というわけです。この考え方を「一般観念説」と呼んでおきましょう。

ロック自身の文章を紹介してみます。

言葉は、一般観念の記号とされることによって一般的となる。そして観念が一般的となるのは、その観念から時間と場所の状況が切り離され、またそれ以外にもその観念をあれこれの個別のものとするような他の諸観念がすべて切り離されることによる。この抽象という仕方によって、観念は一つ以上の個体を代表しうるようになり、各々の個体が（われわれが呼んでいるような［猫とか桜とかいった］）その種のものとされるのは、それがこの抽象観念と一致するからである。★2

例えば、三角形の一般観念は斜角三角形でも直角三角形でもなく、正三角形でも二等辺三角形でも不等辺三角形でもなく、それらのすべてであると同時にそれらのどれでもないのでなければならない。実際それは実在しえない不完全な何ものかであり、いくつかの異なる整合しない諸観念から、その部分を集めて一つの観念としたものなのである。★3

少し説明しましょう。「記号」という言葉が用いられています。あるものAが他のものBを表わすとき、「AはBの記号である」のように言われます。例えば、赤・白・青の斜めの縞模様が回転するサインポールは、そこが床屋であることを表わしていますから、「このサインポールは床屋の記号だ」と言えます。ですから、「言葉は、一般観念の記号とされることによって一般的となる」というのは、言葉は一般観念を表わすことによって一般的となる、ということです。例えば、「猫」という語が一般性をもつのは、それが猫の一般観念を表わしているからだ、というわけです。ロックは指示対象という言い方をしていませんが、「猫」の指示対象は猫の一般観念だと言ってもよいでしょう。

では、猫の一般観念はどのようにして心の中に形成されるのか。世界で出会った個別の猫から、いつ・どこで出会ったのかとかどんな色や柄だったのかといったことを無視して、一般的な猫の観念を抽象するのだと、ロックは言います。おそらくさっきの太郎君にはこの抽象という能力が欠けていたのでしょう。

一般観念説　個別の猫たちから一般観念を抽象する。「猫」という語の指示対象はこうして心の中に形成された猫の一般観念である。

どうですか？　納得できますか？

ロックの偉大さを実感している人だと、もうロックが言っているというだけで納得してしまうかもしれません。だけど、もう一度読んでみてください。「三角形の一般観念は斜角三角形でも直角三角形でもなく、正三角形でも二等辺三角形でも不等辺三角形でもなく、それらのすべてであると同時にそれらのどれでもないのでなければならない」というんですね。「斜角三角形」というのは、鋭角三角形や鈍角三角形、つまり直角三角形以外の三角形のことでしょう。だから、三角形の一般観念というのは、直角三角形でもあり、かつ、直角三角形ではない、あるいは正三角形でもあり、かつ、正三角形ではない、そんな三角形の観念なのです。率直に言って、私には理解できません。

**批判その１——一般観念とは何か**

いま私が「理解できない」と言ったまさにその点を直球で攻めたのが、ジョージ・バークリでした。『人知原理論』の序論から引用してみましょう。

それ［思索を混乱させ誤った知識をもたらすもの］は、心が物の抽象観念を形成する能力をもつという考えである。★4

私は、手や目や鼻を、単独で身体の他の部分から抽象して、すなわち分離して考えることができる。だが、そのとき私がどのような手や目を想像しようとも、それは何か特定の形と色をもっているに違いない。同様に、私が心の中に形成する人間の観念は、白いか黒いか褐色か、あるいはまっすぐか腰が曲がっているか、あるいはまた背が高いか低いか中くらいか、それぞれどれかであるに違いない。どれほど努力して考えても、先に述べられたような抽象観念を思うことはできないのである。★5

例えば、三角形に関するなんらかの命題を証明するとき、三角形の普遍観念［引用者注——一般観念と同じ］が思い描かれると想定される。だが、だからといって、あたかも私が正三角形でも不等辺三角形でも二等辺三角形でもない三角形の観念を形成しうるかのように理解されてはならない。★6

紙の上に三角形を描くとき、それは必ず何か特定の三角形になります。正三角形でも不等辺三角形でも二等辺三角形でもない三角形を描いてみろと言われても、描けません。必ず特定の形の三角形になります。同様に、たとえそれが心の中であっても、三角形を思い描くときには必ず特定の三角形が思い描かれるはずです。私も、バークリのこの指摘はまったくその通りだと思います。

しかし、ロック批判として見たとき、バークリの批判はロックの心臓を射抜いてはいません。というのも、おそらくロックは一般観念ということで「思い描かれるイメージ」のようなものを考えてはいないからです。他方、この批判においてバークリは一般観念を心の中に思い描かれるイメージとして捉えています。ですからロックとしては、バークリは分かってないなあと思うところでしょう。おっと、バークリの批判が出たときにはロックはもう死んでいますね。じゃあ、草葉の陰で苦笑いというところでしょうか。バークリはといえば、このとき二十五歳。若造じゃん。

でもね、バークリを引き受けて私はロックに尋ねたくなります。思い描かれるイメージのようなものではないなら、じゃあ、一般観念って何なのですか？　三毛猫でもあり、かつ、三毛猫ではない、短毛でもあり、かつ、長毛でもある、そんな猫の一般観念というのは何なのか。何が心の中に形成されたのでしょうか。やっぱり私には分からないのです。

## 批判その2——一般観念説はコミュニケーションを不可能にする

分からないのはお前が悪い。そうですか。いいでしょう。何か一般観念なるものが心の中に形成されたとします。三毛猫でもあり、かつ、三毛猫ではない、そんな猫の一般観念が心の中に形成された。しかし、そうだとして、一般名の意味をその一般観念だとすると、他人がどのような意味で一般名を用いているのか分からないということにならないでしょうか。そのような議論を展開したのはフレーゲでした。フレーゲ自身は、言葉の意味を心の中の何ものかに求める考え方(心理主義)を批判したのですが、一般観念説も心理主義の一種ですから、ここではフレーゲの議論を一般観念説に対する批判として取り上げましょう。

例えば、私とあなたが同じ「猫」という語を用いたとして、そのとき、私が心の中にもっている猫の一般観念とあなたが心の中にもっている猫の一般観念が同じだと、どうすれば分かるでしょうか。猫の一般観念は心の中に形成されます。だとすると、あなたの心の中を覗き見ることができなければ、あなたが「猫」という語で何を意味しているか、私には分からないことになってしまうでしょう。もしかしたら、同じ「猫」という語を用いていても、ぜんぜん違う一般観念を意味しているかもしれません。そうだとすると、私が「猫」という語で伝えようとしている意味があなたにはまったく伝わっていないことになりますし、また、あなたが「猫」

という語で意味していることが私には理解できないことになります。

かくして、意味を心の中に求めるとコミュニケーションが不可能になってしまう、とフレーゲは結論します。とはいえ、この議論はもっと慎重にしなければいけないでしょう。というのも、もしこの議論が「他人の心の中は私には知りえない」という前提をもっているのであれば、その前提こそが問題になるからです。

哲学的な懐疑論のひとつに、他人の心のことはまったく分からないとする懐疑があります。それはとても極端な議論で、例えば他人がけがをして「痛い！」と呻(うめ)いていても、その人がどういう感覚をもっているのか、分からない、それどころか、そもそもなんらかの感覚をもっているのかすら、まったく分からないと論じるのです。理由は、私が他人について観察できるのは相手の外面的なことだけだからだ、というものです。なるほど、痛みを訴えている人の痛みがどの程度のものなのか、どういう性質の痛みなのか、詳しいことは分からないでしょう。だけど、私たちはふつう、他人の心の中がまったく分からないとは考えません。相手が痛みを訴えていたら、詳しくは分からなくともとにかく痛みの感覚をもっているのだと受け止めます。声を荒げて目をつりあげて顔を紅潮させて私をなじる人がいたら、その怒りの感情の詳細は分からなくとも、その人が怒っているということは分かります。哲学的には、他人の心についての懐疑を論駁するのはそう簡単ではありません。でも、「他人の心はまったく分からない」という懐疑に屈するのは、不健全だと私は思います。

ですから、言葉の意味を心の中に求めると相手の発している言葉の意味を理解できなくなるというフレーゲの議論も、へたをするとその不健全な懐疑を受け入れたものになってしまう可能性があるわけです。どうでしょう。フレーゲの議論は失敗しているのでしょうか。

いや、私の考えでは、一般観念説に対するフレーゲ的な批判は成功しています。なるほど慎重に議論しないと他人の心についての不健全な懐疑を開いてしまいそうですし、フレーゲ自身はどうも他人の心の中のことなど分からないという前提をもっていたようですが、そんな強い前提に立たなくても、この議論は成り立つと思うのです。他人が痛みを感じていることや怒っていることであれば、言葉で説明されなくとも、状況とその人の表情やふるまいから、ある程度は分かるでしょう。しかし、いま問題になっているのは猫の一般観念といったものです。私とあなたが「猫が寝ている」と言うとして、そのときに二人が「猫」や「寝ている」という語で同じことを意味しているかどうかを確認したいわけです。ですから、言葉に頼らずに、相手の心の中の一般観念のあり方を推測しなければなりません。状況、表情、ふるまいといったことから、相手がどういう一般観念をもっているかを推測する。これはやっぱり無理な注文じゃないでしょうか。

他人の考えていることなど私にはまったく分からないと、不健全な懐疑を主張するつもりはありません。だけど、ある程度複雑な考えは、言葉で伝えてもらうことによって初めて理解できるのです。言語的なコミュニケーションなしでも伝わる心のあり方は、痛みとか怒りといった、かなり動物的なものに限られるでしょう。だとすれば、他人の心を理解することの多くは、言語的なコミュニケーションに支えられているのです。ところが、一般観念説は、言葉の意味を一般観念という心の中に形成された何ものかによって捉えようとします。だから、言語的なコミュニケーションに頼らずに他人の心の中の一般観念を捉えなければいけない。やっぱり、無理ってもんでしょう？

### 批判その3――観念もまた個別的でしかない

一般観念説の批判としてはもう十分だと思われるかもしれません。でも、ロックだったらどう応じるでしょう。バークリの批判に対しては、君はまだ一般観念の何たるかが分かっていないと言うかもしれません。フレーゲの批判に対しては、私と他人が同じ意味で言葉を使っているかどうか、本当のところは分からないのだ、と積極的に懐疑を認めてしまうかもしれません。たいていの場合、哲学の批判が完全なKOパンチになることはないんですね。

そこで三つ目の、ウィトゲンシュタインに基づく批判を紹介しましょう。私は、この批判は一般観念説に対する決定打だと考えています。ただし、ちょっと情けないことを言わなければなりませんが、これから展開する議論を、私はウィトゲンシュタインによるものだと思っていたのですけれども、今回ウィトゲンシュタインがその議論をしている箇所を探しても見つからなかったのです。あれ、ウィトゲンシュタインはどこかでこういう議論してたと思うけど、どこだっけかなあ。やれやれ。というわけで、ウィトゲンシュタインの議論と言い切るのはやめて、ウィトゲンシュタイン的な議論、と言うに留めておきます。

一般観念説は、心の外の世界で出会うものが個別的でしかないと考え、心の中に一般観念を形成すると論じます。バークリに言わせればそんなものは形成できないということですし、私もそれに賛成しますが、いまはそこは素通りして、とにかく何か一般観念と呼べるようなものが心の中に形成されたとしましょう。ポイントは、心の外でだめだったものが、どうして心の中だとだいじょうぶになるのか、です。

個別性と一般性のギャップの問題を説明するときに、「世界」を心の外の世界のこととしましたが、心の中だって世界の一部です。「世界」を現実に起こっているものごとの全体と考えるならば、猫が寝ていることや花が咲いているといったことだけではなく、私が頭痛を感じていたり、悲しんでいたりするといった心の中のことも、世界に含まれます。だとすれば、心の外の世界で出会うものが個別の「この猫」、「あの猫」、「この花」、「あの花」等々でしかないように、心の中の世界で出会うものも、個別の「この痛み」、「あの痛み」、「この悲しみ」、「あの出しても、けっきょくは何も変わらないのです。

ということは、一般観念説もあの太郎君には無力だということです。先のエピソードでは、お父さんが太郎君に「猫」の意味を教えようとして、道端や公園にいる猫を指差しながら「これが「猫」だ」、「あれも「猫」だよ」と教えました。そして個別性のレベルに留まり続ける太郎君は、そこで指差された特定の個体だけが「猫」と呼ばれると思ってしまうわけです。そこでこんどは、めでたくこのステップはクリアしたとしましょう。さまざまな猫たちを目撃することから、太郎君は猫の一般観念を形成することに成功したとします。一般観念というものがどういうものかは分かりませんが、ともあれそれは心の中に生じるある状態と考えてよいでしょう。だとすれば、心がその状態になった時刻があります。太郎君が猫の一般観念を形成するのに初めて成功したのが一月一日だとします。しかもお父さんは太郎君が猫の一般観念を形成したことを察知できたとします。一般観念説を批判したい者としては譲歩しまくりですが、ここまで譲歩しても、それでもだめだと言いたいのです。

一月一日、太郎君は猫の一般観念を形成し、それを確認したお父さんは「そうだ。太郎、それが「猫」の意味、猫の一般観念なんだ」と言います。そこで太郎君は「分かった。これが猫の一般観念なんだね。だから、「猫」はこれを意味するんだ」と納得する。これで話が終わればいいのですが、そうはいきません。太郎君は一月一日に心に生じたその状態だけが猫の一般観念だと思うのです。ですから、例えば翌日、一月二日に心に生じた観念のことを——お父さんに言わせればそれも猫の一般観念なのですが——太郎君は猫の一般観念とは認めません。だって、お父さんが猫の一般観念と言ったのは昨日ぼくに生じた観念であって、一月二日に生じたこの観念のことではないもの。いや、太郎、違うんだ。お父さんは「それも猫の一般観念なんだ」と教えます。太郎君は「分かった。これも猫の一般観念なんだね」と納得する。だけど、こんどは一月一日の観念と一月二日の観念の二つの観念だけが猫の一般観念だと思う。だから一月三日に生じた観念は猫の一般観念だとは認めない。そこでお父さんは、いや、だからお父さんはね、もう、どうすればいいか分からないよ。

心の中に生じた状態も、特定の時刻に生じた個別の状態です。例えば、悲しみという心の状態も十年前に生じた悲しみもあれば、一週間前に生じた悲しみもある。そのときどきでそれぞれ個々の悲しみです。一般観念も心の状態でしょうから、やはり特定の時刻に生じた個別の状態でしかありません。とすると、個別性と一般性のギャップの問題は心の外と同様に心の中を持ち出してもそのまま残っていることになります。

個別の一般観念をさらに抽象して一般観念の一般観念を形成するのだ、と言われるでしょうか。正直に言って何を言っているのか私には意味不明です。仮に意味が分かったとしても、一般観念の一般観念なるものもある特定の時刻に生じた個別の心の状態でしょうから、問題はまったく解決していません。まあ、さすがに「一般観念の一般観念」なんて言い出す人はいないでしょう。

　ダメ押しになることを期待して、もうひと押ししておきましょう。いまは心の状態が特定の時刻に生じることから、心の状態も個別性を免れないと論じましたが、心の状態の場合には、さらに「誰の心か」ということが関わってきます。そうすると、太郎君に言わせれば、太郎君の猫の一般観念とお父さんの猫の一般観念は違うものだということになるでしょう。太郎君とお父さんは以心伝心というか、テレパシーが使えて、相手が心に形成した観念が分かるとしましょう。太郎君は猫の一般観念を形成する。お父さんは「太郎、それが猫の一般観念だよ」と言います。すると個別性の世界に生きる太郎君はそのときの太郎君の心に形成されたその観念だけが猫の一般観念だと思う。だから、お父さんの心に形成された観念は、太郎君がそのとき心に抱いた観念そのものではないので、お父さんのそれは太郎君に言わせれば猫の一般観念ではないことになります。お父さんはぼくのこれが猫の一般観念だと言ったじゃないか。だったらお父さんのそれは猫の一般観念じゃないよね。

　なんでこんな話になっちゃうのだろうと思っている人もいるかもしれません。それは、そもそもこの話の前提がおかしいからなのです。哲学は思考の実験場のようなものですから、ある前提を引き受けたならば、それをいわば純粋培養して、その前提の正体を見きわめようとします。そうして導かれる帰結が荒唐無稽で受け入れがたいものであるとすれば、それはつまり出発点となる前提がおかしいことを意味しています。だから、太郎君のエピソードが馬鹿げていると感じるのはまったく正しいことで、そうだとすれば、私たちは出発点に立ち返って、どこがおかしかったのかを考え直さなければなりません。

## どこで引き返せばよかったのか

少し振り返ってみましょう。

最初に、「新たな意味をもった文を無限に作ることができ、容易に理解することができるのはなぜか」という問いが立てられました。そこから、「文の意味の理解は語の意味の理解から成り立っている。それゆえ、まず語の意味を文の意味に先立って理解しなければならない」という考えに誘われ、では語の意味とは何なのか、という問いに向かいました。

固有名の意味はその語の指示対象だと言ってよさそうです。そこで、この考え方を一般名にまで進めます。「指示対象説」という考え方です。「富士山」という固有名の意味はその語の指示対象であるあの山です。同様に「猫」という一般名の意味もその語の指示対象ではないか。ならば、「猫」という語の指示対象は何か。

しかし、道端や公園といった環境の中で出会うのはすべて個別の猫たちでしかないように思われます。他方、「猫」という語は猫一般を意味しているでしょう。そう考えると、「猫」という語の指示対象は世界の中には存在しないように思われてきます。これが「個別性と一般性のギャップ」と私が呼んだ問題です。

一般観念説はここで出てきます。心の外の世界で出会うのは個別の猫たちでしかない。だから、そうした猫たちから個別性を抽象して猫の一般観念を心の中に形成する。その猫の一般観念こそが、「猫」という語の指示対象だ、というわけです。

ところが、一般観念説は批判に晒（さら）されます。私の見るところ、一般観念説に見込みはありません。行き止まりです。引き返すしかありません。どこまで？　どこまで引き返せばよいのでしょう。引き返すべきポイントを考えてみてください。

新たな意味の産出可能性の問題⟶まず語の意味を捉えよう⟶指示対象説⟶個別性と一般性のギャップという問題⟶一般観念説⟶行き止まり

では、一般観念以外の指示対象を考えるべきなのでしょうか。いや、心の外にも中にも「猫」という語の指示対象は見つかりそうにありません。じゃあ、指示対象説がおかしいのでしょうか。そうかもしれません。でも、フレーゲはもっと遡ります。文の意味に先立ってまず語の意味を捉えようという方針、これこそが誤った道の分岐点だとするのです。では、そこまで引き返すことにしましょう。

# 第二章　文の意味の優位性

## 1　私たちはただ対象に出会うのではなく、事実に出会う

新たな意味の産出可能性という問題に答えようとすると、どうしたって文の意味を理解する前に語の意味を理解しておかなければいけないという考えに向かいます。それをいま、ひっくり返してみたい。だけど、じゃあ、語の意味を理解する前に文の意味を理解するのか、ということになるでしょうが、語の意味が分かっていないのに文の意味を理解しろというのは、いかにも無茶に聞こえます。でも、とにかく、一般観念説の袋小路から抜け出る道を探して、この硬い岩盤を掘り進めてみましょう。

### 『論理哲学論考』の出だし

ウィトゲンシュタインの『論理哲学論考』（以下、『論考』と略記）はフレーゲの影響のもとに書かれた著作ですが、その冒頭は次のように始まります。

一　世界は成立していることがらの総体である。
一・一　世界は事実の総体であり、ものの総体ではない。★7

最初は、ウィトゲンシュタインが何を言い始めたのかもよく分からないまま、軽く読み流すかもしれません。でも、ここにフレーゲからの影響がすでに色濃く現われているのです。

例えば、ミケという一匹の猫を見るとしましょう。そのとき、ミケは必ずなんらかの状態にあるか何か動作をしています。つまり、寝ていたり、歩いていたりします。だとすると、ミケという対象に出会うとき、私たちはミケが寝ている等の事実に出会っています。仮に虚空に対象だけがぽつんとあったとしても、ミケは猫だというのも事実ですし、ミケはメスだ、ミケは尻尾が曲がっているなども事実です。ですから、事実に出会うことなく、ただ対象だけに出会うというのはありえません。「世界は事実の総体であり、ものの総体ではない」というのは、そういうことです。このこと自体はあたりまえのことで、別に深遠なことが言われているわけではありません。一個のリンゴを見るときも、それがテーブルの上にあるという事実、そのリンゴが赤いという事実のもとで、その一個のリンゴを見ているわけです。

私たちも、このあたりまえのことから再出発しましょう。事実と切り離して対象だけを考えることは実情に合っていません。事実を把握する以前に対象を把握して、そしてそこからどういう事実が成立しているのかを把握する、そういう順番にはなっていないということです。だとしたら、対象の把握はあくまでも事実の把握とともに為されるのではないか。

## 語の意味から出発するのではなく、文の意味から出発する

例えば、一匹の黒い猫が大きな犬に追われて木に登ったとします。この事実には、猫、犬、木という対象、黒い、大きいという性質、追う、登るという動作が含まれています。でも、いきなり複雑な事実を考えても頭が働きませんから、もっと限りなくシンプルな事例として、ミケは猫だとかミケは寝ているといった事実を考えましょう。あんまりシンプルなのでありがたみが感じられないかもしれませんが、言葉の意味を巡る、本当に根本的なところを考えようとしているので、単純な事例の方がよいのです。

私たちは、ミケは猫だという事実に出会う。このことにはなんの不思議もありません。だけど、立ち止まって考えてみましょう。私たちはここまで、世界の中で一般的猫に出会うことはないと論じていました。でも、ミケは猫だという事実には出会うのです。そしてこの事実には、猫だということが含まれている。――どういうことでしょう。何かもやもやしてきませんか？ミケは猫だという事実に出会っているなら、その事実において猫――一般的猫――にも出会っていると言えるのでしょうか。

ミケという対象は必ずなんらかの事実のもとにあります。その事実を文で表現すると「ミケは猫だ」、「ミケが寝ている」、「ミケが歩いている」等々となります。ここで「ミケ」は固有名ですから、その指示対象は個体です。それに対して、「猫だ」、「寝ている」、「歩いている」という述語部分は一般性をもっています。「猫だ」と言われるのはミケだけではありません。タマもそうです。我が家のハルとアンズも猫です。「寝ている」も、ミケが寝ているその場面だけではなく、別の猫が別の場所で寝ている場合も、あるいは教室で学生が寝ているのも、「寝ている」と言われます。つまり、個々の事実の中に、寝ているという一般性をもった状態が含まれているのです。

一般観念説を思い出してください。ロックは、ミケやタマやハルやアンズといった個々の猫たちから抽象して猫の一般観念を心の中に形成し、それが「猫」の意味だと考えました。でも、私たちは対象だけに出会うことはありません。対象は必ずなんらかの事実のもとにあります。そして事実の中には一般性をもった構成要素が含まれている。ここには何かあるぞと、このもやもやを抱えて考えていると、ときに飛躍が訪れます。あ、そうか！と閃くのですね。

個別性から一般性へと抽象するのではなくて、事実から一般性を取り出してくるんじゃないか。まとめあげて一般性を作るんじゃなくて、ばらして一般性を取り出すんじゃないか。とはいえ、それがどういうことなのかは、さらにじっくり考えていかなければなりません。事実から一般性を取り出す、ふーむ。ばらして一般性を取り出す、調子に乗って書きましたが、どういうことなのでしょう。

「世界は事実の総体であり、ものの総体ではない」、ウィトゲンシュタインはそう書いていました。それは、もの、つまり対象から出発するのではなく、事実から出発するのだという宣言と読めます。言語の側で言うと、対象は語で表現され、事実は文で表現されますから、これは語の意味から出発するのではなく、文の意味から出発するということと考えられます。では、その新たな考えへと、扉を開けてみましょう。

## 2 語は文との関係においてのみ意味をもつ

### 要素主義

まずフレーゲの文章を読んでみてください。少し分かりにくいところもあるかもしれませんが、解説はすぐ後でします。

> 語の内容が表象不可能であるからといって、それは、その語にいかなる意味も与えず、使用を禁じる理由にはならない。一見すると表象不可能性がそのように解されると思えるのは、語を孤立させたうえで考察し、意味を問い、そうして表象を意味と解してしまうからであろう。かくして、心の中に対応するイメージが存在しない語はまったく無内容に思えてしまう。しかし、つねに銘記されるべきは、完全な文の全体である。そこにおいてのみ、語は本来意味をもつ。そのさいときおり心の中に思い浮かぶイメージは、必ずしも判断の論理的構成要素に対応しているとはかぎらない。文が全体として意義をもつならば十分なのであり、それによって文の部分も内容を得るのである。★8

「語の内容が表象不可能」というのは、一般観念説の言い方をすれば、「語の内容に対応する一般観念がない」ということだと考えてよいでしょう。一般観念のような表象あるいはイメージがないと語が無意味に思われてしまうのは、「語を孤立させたうえで考察」するからだというのです。

ここでフレーゲが批判している相手に「要素主義」という名前をつけておきましょう。私たちは第一章の最初のところで要素主義が自然に出てくる経緯を確認しました。言葉は新たな意味を無限に作り出せるし、私たちはそれを理解できる。それはなぜだろうかという、私が「新たな意味の産出可能性の問題」と呼んだものです。この問題に対する素直な答えは、新たな文でも、そこに含まれる語の意味は知っているからだというものでした。語の意味を理解し、文法を理解していれば、語を組み合わせて新しい文を作ってもただちに理解できる、というわけです。この考え方は、文の意味を理解する前に語の意味を理解しているという考えにつながります。これが、要素主義です。

> 要素主義　語の意味は、文の意味以前に語だけで確定する。

**銘記されるべきは、完全な文の全体**

では、どのように考えるべきだとフレーゲは言うのか、引用の後半を読みましょう。「つねに銘記されるべきは、完全な文の全体である。そこにおいてのみ、語は本来意味をもつ」、フレーゲはそう言っています。語の意味を考えるにも、語を文から切り離して一つひとつの語を単独で考えるのでなく、文全体との関連において考えなくてはいけない。フレーゲのこの考え方は「文脈原理」と呼ばれています。

机を例にとってアナロジーで説明してみましょう。

要素主義的に考えれば、部品は単独で意味をもち、それを組み合わせて机という意味をもつことになります。しかし、脚だけを単独で考えても、それはたんに棒にすぎませんし、甲板(こういた)や幕板(まくいた)も、それ自体はただの板です。それが脚、甲板、幕板という意味をもつのは、あくまでも机の部品として使用されるからです。つまり、意味をもつ基本的な単位は机全体なのです。その上で作業をしたり何か書いたり書類や本を置いたりといった使われ方をするために、その全体が机という意味をもつことになります。

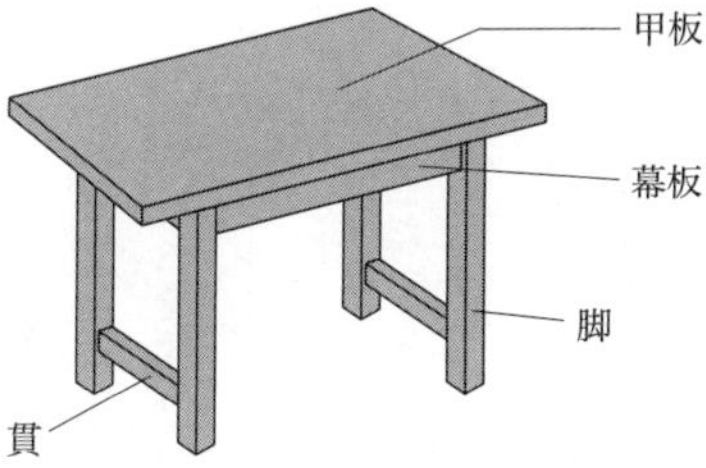

そして全体が机という意味をもつからこそ、その棒は脚という意味をもち、その板は甲板や幕板という意味をもつのです。フレーゲの言い方をもじって言うならば、「つねに銘記されるべきは、完全な製品の全体である。そこにおいてのみ、部品は本来意味をもつ」と言えるでしょう。言語において製品に相当するのは、文です。そして語はその部品です。語という部品がその意味をもつのは、あく

までも文という製品全体との関係においてなのです。

「ミケは猫だ」を例にとりましょう。要素主義はまず「ミケ」と「猫」という語が意味を与えられ、それを組み合わせたものとして「ミケは猫だ」という文の意味が決まると考えます。しかし、フレーゲはその考え方を却下します。意味の基本的な単位は「ミケは猫だ」という文全体なのです。そして、机全体が甲板、幕板、脚等の意味をもった部品に分解されるように、「ミケは猫だ」という文全体が「ミケ」や「猫」といった語に分解され、それぞれの意味が与えられるのです。

語の意味は、文以前にその語だけで決まるのではなく、文全体との関係においてのみ決まる。これが文脈原理です。

> 文脈原理　文の意味との関係においてのみ語の意味は決まる。

「文の意味との関係」というところがまだ漠然としていますが、とにかく、文の意味を無視して語の意味を考えてはいけない、この基本方針が立てられます。

## 3　文と事実の関係

### 文は事実の名前か

文と事実の関係はどういうものなのでしょうか。一方で言葉で表わされた文があります。他方でこの世界において成り立っている事実があります。両者の関係は何なのか。先に、語の意味はその語の指示対象だとする考え方を検討しました。「富士山」や「伊藤博文」といった固有名の意味は、その指示対象である個体(あの山、あの人物)だと考えてよさそうです。でも、「猫」のような一般名の指示対象として一般観念を考えるのは、どうもうまくいきそうにありません。では、文の場合はどうでしょう。例えば、「ミケは寝ている」という文は〈ミケは寝ている〉という事実を表現しています。[★9] そこで、「ミケは寝ている」という文はこの事実を指示している、つまり、この事実の名前だと考える。この考えはうまくいくでしょうか。そして、一般に「文の意味は事実である。文は事実の名前なのだ」と言えるでしょうか。

いや、そうは問屋が卸しません、と、もう最近は聞かなくなった懐かしいフレーズをつい書いてしまいました。具体的にいくつかの文を考えてみてください。事実の名前と考えることに無理があるような文、思いつきませんか？

事実というのは世界で成り立っていることがらです。言い換えれば成り立っていないことは事実ではありません。例えば、夏目漱石は猫であるというのは、あの文豪のことだとすれば、事実ではありません。だとすれば、「夏目漱石は猫である」という文を事実の名前だとするのは無理じゃないですか？　だって、その文が指示しているとされる事実など、存在しないのですから。文には真な文もあれば偽な文もあります。真な文であれば、それに対応する事実が成り立っていますが、偽な文だとそれが表現しているような事実は存在しません。

それから、文が事実の名前だとすると、再び個別性と一般性のギャップに悩まされることにもなります。「ミケが寝ている」という文は、どの事実の名前なのでしょう。いま私の目の前の、この事実の名前でしょうか。いや、ミケは昨日も寝ていました。なんせ猫ですから、よく寝ます。つまり、「ミケが寝ている」という文は、さまざまな場面での無数の事実を表現しているのです。そこをがんばって、「ミケが寝ている」という文はそうした事実の無限集合の名前だ、と主張しても、事実の無限集合なんて世界のどこにもありはしません。私たちは場面ごとに、個別の事実に出会います。他方、文は無数の事実に適用されます。袋小路から逃れようとして文の意味から出発するという方向に進んでみたのですが、またもや同じ問題に突き当たったことになります。

文は事実の名前であるという考えはだめそうです。では、文と事実の関係は何か。真な文でも偽な文でも成り立つような、文と事実の関係。

## 言葉と世界の基本的関係は真偽

いや、ちょっと待ってください。いまの問いの中にすでに答えが入っていたのではないでしょうか。――真な文でも偽な文でも成り立つような、文と事実の関係は何か。

真ないし偽になる、まさにそのことが、文が事実に対してもつ関係だと考えられないでしょうか。もちろん文の中には疑問文や命令文のような真偽の言えないものもあります。しかし、世界のものごとについて述べた文であれば、成り立っている事実に照らして真であるとか偽であると言えるでしょう。これが、文と事実の関係なのではないか。「ミケが寝ている」という文は、いま目の前でミケが寝ているという事実のもとで真になり、「富士山が噴火している」という文は、今日の富士山が穏やかであるという事実のもとで偽になります。

いま私たちは、言語哲学の根本的な部分に触れています。言葉にはさまざまな働きがあります。そのひとつは、世界のあり方——物理的な世界だけでなく心理的なことも含めて——を描写するということです。他にも、質問して答えを求めるとか、命令して相手の行動を促すといった働きもありますが、世界のあり方を描写するという働きが言葉の重要な働きであることはまちがいありません。そこで、言葉の意味を世界との関係において捉えようと考えることは自然です。「言葉と世界との関係」と一般的に言うとものすごく曖昧ですが、ここまでで二つの候補が出ていました。

ひとつは指示という関係です。「ミケ」はあの一匹の猫を指示し、「富士山」はあの山を指示しています。つまり、「ミケ」や「富士山」はある個体の名前です。そこで指示という関係で言葉の意味を捉えようとしたのですが、「猫」のような一般名の指示対象として一般観念を立てようと考えて挫折しました。また、文は事実を指示するという考えもうまくいきません。そこで出されたのが、真偽という関係です。文はある事実のもとで真ないし偽になる。これが文と事実の、すなわち言葉と世界の基本的関係だというのです。[★10]

真偽を文と世界の基本的関係と捉えると、個別性と一般性のギャップにも悩まされる必要はなくなります。「ミケが寝ている」という一般的内容をもった文は、ある場面での特定の事実のもとで真になったり偽になったりします。個別の事実のもとで一般的内容をもった文が真になる、このことになんの奇妙さもありません。

いま問題になっているのは、言葉と世界の関係は指示なのか真偽なのか、どちらかを選べということではなく、両方あってよいのだけれど、指示と真偽のどちらが基本的なのだろうか、ということです。ですから、指示という関係がお払い箱になるわけではありません。ただ、指示という関係から出発するのではなくて、真偽という関係を基本に据えて、そこから考えていこうというのです。

## 4　述語を関数として捉える

### 「……は猫だ」の意味

では、具体的に「猫」の意味を考えましょう。もう「猫」の意味は猫の一般観念だという考えは振り捨てます。文脈原理を受け入れ、さらに文と世界の基本的関係は真偽であるとします。そのとき、「猫」の意味はどう考えられるでしょうか。

「ミケは猫だ」という文において「猫」は述語として用いられています。そこで、この文から「ミケ」を取り去ってみます。すると、「……は猫だ」という部分が残ります。「……」は「ミケ」を取った取り跡です。「猫」という語を文との関係において捉えるのであれば、「猫」

という名詞としてよりも、このように文から取り出したことが分かる形で書いた方がよいでしょう。つまり、「猫」という一般名の意味は何かではなく、「……は猫だ」という述語の意味は何か、と問うた方が文脈原理の考え方に寄り添っています。「……」のところにはミケだけでなく、他の個体も入ります。タマを入れてもいいですし、ポチを入れてもいい。なんなら夏目漱石を入れてもいいです。もちろん、「夏目漱石」があの文豪のことだとすれば、「夏目漱石は猫だ」は偽です。

そうですね、ミケとタマは猫、ポチは犬、漱石を人間だとしましょう。すると、「……は猫だ」の「……」に入れるものによって真偽が違ってきます。「ミケは猫だ」と「タマは猫だ」は真で、「ポチは猫だ」と「漱石は猫だ」は偽です。「……は犬だ」の場合には、ミケ、タマ、漱石を入れれば偽になり、ポチを入れれば真になります。「……は人間だ」だと、漱石を入れれば真ですが、ミケでもタマでもポチでも、偽です。並べて書いてみましょう。

「……は猫だ」——[ミケ・真、タマ・真、ポチ・偽、漱石・偽]
「……は犬だ」——[ミケ・偽、タマ・偽、ポチ・真、漱石・偽]
「……は人間だ」——[ミケ・偽、タマ・偽、ポチ・偽、漱石・真]

そうすると、何を入れれば真になるのか、何を入れれば偽になるのか、その真偽のあり方で「猫だ」、「犬だ」、「人間だ」といった述語の意味は区別できそうです。まさにそれを述語の意味として捉えたのが、フレーゲでした。「……は猫だ」の「……」のところにはミケやタマやポチや漱石など(もちろんこれらだけではなく、世界に存在するさまざまな個体)が代入されますから、これを「x」と書きましょう。つまり、「猫だ」という述語は〈xは猫だ〉という関数を意味する、というのです。

**命題関数**

「関数」というと数学用語だと思われてしまいますが、とくに数にかぎりません。ここでは「何かを入力すると何かが出力されてくるもの」というぐらいの理解で十分です。〈xは猫だ〉という関数は、xにミケやタマを入力すると真が出力されて、ポチや漱石を入力すると偽が出力される、そういう関数です。

**質問**　〈xは猫だ〉の「x」に代入するのは「ミケ」という固有名ですか、それとも〈ミケ〉という個体ですか？

ああ、ちょっといまの説明はそのあたりがいいかげんでしたね。そこのところはそんなに気にしなくてもいいかと思ったのですが、やっぱりきちんと説明しておいた方がいいのかな。代入するのは個体です。

言語表現とその意味を区別しましょう。固有名は言語表現で、個体はその意味です。ここまで、言語表現は「ミケ」、個体は〈ミケ〉と書き分けてきました。「ミケ」は二文字からなる言葉で、〈ミケ〉は一匹の猫という対象です。ですから、「「ミケ」は〈ミケ〉の名前だ」と、なんだか紛らわしい言い方が成り立つわけです。

同様の区別が、述語と関数の間にもつけられます。「……は猫だ」という述語は言語表現です。そして〈xは猫だ〉はその意味とされる関数です。言語表現の方で言えば、「……は猫だ」という述語は「ミケ」という固有名と組み合わされて「ミケは猫だ」という文を作ります。これは、意味のレベルで言えば、〈xは猫だ〉という関数に〈ミケ〉という個体を代入したことに対応します。

もうひとつうっとうしい補足説明をしておきましょう。このような関数は「命題関数」と呼ばれます。ただし、フレーゲはたんに「関数」と言いました。「命題関数」という言い方はラッセルによるもので、実はラッセルが考えていた命題関数はフレーゲのものと違うのですね（その話はもっと後でしましょう）。ですから、現代では内容的にはフレーゲが関数と呼んだものに対して、名前だけはラッセルのつけたものを用いている、というわけです。でも、まあ、そんなことはどうでもいいことです。だいじなのは述語の意味を関数として捉えるという、このアイデアです。まずはここのところをしっかりと押さえてください。

## 命題関数　個体から真偽への関数

**質問**　「名前はまだない」とか言ってる猫のように、固有名がない場合はどうなりますか。

名もなき猫もたくさんいますし、いま私の部屋の中を見回しても固有名がついているものはほとんどありません。って、おや、一個もないです。パソコンに愛称をつける人もいるのでしょうが、そういうこともしていませんし。そういう場合、むりやり固有名をつけちゃってもいいでしょうが、ふつうは指示語を使います。「これは猫だ」、「これは椅子だ」、あるいは「この猫は寝ている」とか「この椅子はひじ掛けが壊れている」(真です)とか。とにかく命題関数に入力するのは個体ですから、その個体を指示するような言葉を使えばいいわけです。

えっと、あ、まだ質問ありますか。でも、いまは「述語の意味を関数として捉える」というアイデアを紹介するくらいにしておいた方がいいと思うのです。このアイデアをさらに展開して理論化していこうとすると、いろいろ悩ましい問題が出てきます。ですから、いまはこれ以上踏み込まない方がよいでしょう。

**質問**　「おいしい」とかは真とか偽とかきっぱり言えそうにないですけど、こんな述語も命題関数を意味するのですか？

あのね。これ以上踏み込まないと言ってるのに。ついこういう質問を出してしまう私がいる。困ったものです。読者が混乱しなければいいけど。

**曖昧な述語**

「おいしい」も一応〈xはおいしい〉という命題関数と考えることができます。だけど、例えば私が昨日の昼食に作った納豆チャーハンはどうか。まずくはありませんでした。でも、なんかべちゃべちゃして、おいしいかと言われれば……。〈xはおいしい〉の場合、どうも真か偽か明確に分かれるようには思えません。

〈xは猫だ〉のような命題関数は真か偽かどちらかに分かれます。でも、述語の中には真偽が明確に分かれない、曖昧なものもあります。「おいしい」はそうですし、考えてみたら「寝ている」も微妙なケースがあって曖昧です。こういう場合はどうするか、単純に考えれば、真か偽かだけでなく、その中間の値を考えるということにもなりそうですが、これは難しい問題なのです。ですから、曖昧さの問題はこの本では取り上げない言語哲学のさらなる課題として、いまは真か偽かきっぱり分かれるものを考えていきましょう。え、〈xは猫だ〉も曖昧じゃないかって？「ひこにゃんは猫だ」は真なのか？　なに言ってんですか、真ですよ。

### 関係述語

もう一点補足説明を加えておきます。述語を命題関数として捉えるとき、〈xは猫だ〉のxは「変項」と呼ばれます。数学だと「変数」ですが、代入するのは個体なので「変項」と言います。で、関数として捉えることのうまみのひとつは、変項の数を増やせることにあります。例えば、「親」のような語は「xはyの親だ」のような二つの変項をもつ命題関数になります。xに岡本かの子、yに岡本太郎を入力すると真になります。ええと、もっと有名な親子関係の例って、何がいいでしょう。藤圭子と宇多田ヒカルとか。あるいは、xにシンシン、yにレイレイ。これはパンダの親子ですから真です。xにウィトゲンシュタイン、yに野矢茂樹を入れると、偽です。「……は……の親だ」のような語は「関係述語」と言います。

## 命題関数を考えるメリット

いまは細かいことやさらなる疑問は措いておきましょう。一般観念説を思い出してください。一般観念説は「猫」という一般名の意味として猫の一般観念を考えた。でも、それはうまくいきそうにない。そこで新たに示された方向が、「猫」という一般名ではなく、「……は猫だ」という述語で考えるというものです。そして述語の意味を関数として考えるというアイデアが出されました。

一般観念説に対する批判のところで紹介したフレーゲの議論を覚えているでしょうか。フレーゲは、意味を心の中に形成される何ものかだとすると、他人がどういう意味で言葉を使っているのかが分からなくなってしまう、と批判しました。述語の意味を命題関数とする考えだと、どうでしょう。〈xは猫だ〉を二人の人が同じ関数として理解しているとは、同じ個体を入力すれば、そのとき出力される真偽は一致するということです。あるものを指して「これは猫だ」と一方が言えばもう一方も同意し、またあるものを指して「あれは猫じゃない」と一方が言えばもう一方も同意する。このように、命題関数としての理解は客観的にチェックすることができます。これは、一般観念説よりも大きなメリットと言えるでしょう。

## 命題関数と文脈原理

「……は猫だ」という述語の意味を〈xは猫だ〉という命題関数として捉えるという考えは、まさに文脈原理の考え方――語の意味はその語だけでは決まらない。文の意味との関係においてのみ、語の意味は決まる――に従っています。どうでしょう、命題関数という考え方は文脈原理に従っていると、納得してもらえますか?

指示対象説は「猫」という語の意味を文から切り離して、それ単独で「猫」という語の指示対象を求めました。それに対してフレーゲはこれを「……は猫だ」という述語として捉えます。これは文の一部であることを意識したものです。でも、まだこれだけでは文脈原理に従っているというほどではありません。

「……は猫だ」という述語の意味を〈xは猫だ〉という、個体から真偽への関数として捉える。ポイントはここにあります。真偽は語ではなく、文に対して言われることです。ほら、文脈原理に従っているでしょう。述語の意味が、まさに文との関係において捉えられています。

## 5　固有名の意味と文脈原理

**指差して名づければ指示対象が定まるというわけではない**

では、固有名はどうでしょう。固有名の意味は指示対象です。「ミケ」はあの一匹の猫の名前です。そこでは文との関係は考える必要がないようにも思えます。では、固有名の意味に関しては文脈原理は当てはまらないのでしょうか。

いや、対象を指差して名づければ、それで固有名の指示対象が定まるというほど、単純な話ではないのです。例えば、私が何も知らされずに理化学研究所の計算科学研究センターに連れていかれたとしましょう。そこがそういう場所だということは教えてもらっていません。そして何か箱のようなものがずらっと並んでいるところに案内されます。それはスーパーコンピュータなのですが、私はそのことを知りません。そこで、「これが「富岳」だ」と言われたとします。私は何が「富岳」なのか分からない。そもそも「これ」で何を指しているのかも分からないでしょう。そこに並んだ箱の一つひとつなのか、その全体なのか、あるいはその箱たちプラス何かなのか、それともそれらが果たしているらしい機能の名前なのか。

私の非スーパーなパソコンの場合も同様です。そっちの方を指差して、「これがパソ子だ」と言ったとして、「パソ子」はパソコン全体の名前なのか、キーボードだけの名前なのか、そのシステムの名前なのか、どうすれば分かるでしょうか。(ひとつジョークを思いつきました。レストランで、メニューを指差して「これください」と言ったところ、「お客さま、それはメニューですので、差し上げるわけには……」と返されたという話。)

## 名前を尋ねることができるために、何を知っていなければならないのか

何かよく分からない対象を指して、「これが「××」だ」と名前を与えても、それだけでは何が「××」と呼ばれたのか分からないのです。ここで私はフレーゲではなく、ウィトゲンシュタインの『哲学探究』(以下、『探究』と略記)を引用したくなります。

> 名前を尋ねることができるためには、ひとはすでに何ごとかを知っていなければ(あるいは、為しうるのでなければ)ならない。だが、何を知っていなければならないのか。[★11]

ウィトゲンシュタインがフレーゲの影響を濃厚に見せるのは『論考』においてですが、『探究』のこの問いかけも、文脈原理の延長にあります。ただ、『探究』ではその「文脈」が文を

超えて言語実践へと広げられていくので、これ以上『探究』に踏み込むと「語の意味は文との関係においてのみ決まる」というフレーゲの文脈原理からは離れてしまいます。『探究』からはいまの問いかけだけをもらって、ここでは語と文の関係に話を絞りましょう。

さて、名前を尋ねることができるためには、何を知っていなければならないのでしょうか。この問いにきちんと答えるのはなかなか難しい。でも、ただ名指したいものを指差して「これが「××」だ」と言っただけではだめそうです。富岳の例で言えば、富岳について何か最低限のことは知っていなければならないでしょう。そしてその知識は、「富岳はコンピュータだ」のような文で表現されます。とすれば、「富岳」という固有名の指示対象を定めるのに文との関係を無視することはできないということになります。

もっと身近な「ミケ」で考えましょう。ある対象を指差して「これが「ミケ」だよ」と言えば、私たちはごく自然に「ミケ」をそこで寝ている一匹の猫の名前だと考えます。この実感があるから、固有名の理解は文の理解に先立って成り立つのだと考えてしまうわけです。でも、それは誤解なのです。「ミケ」の場合も「富岳」のときと同じです。

「ミケ」の指示対象を定めるには、ミケについて何か最低限のことは知っていなければなりません。もしかしたら「ミケ」は色の名前かもしれませんし、あるいは丸くなって寝ているその状態のことかもしれません。「ミケ」がそこで寝ている個体の名前だと理解するには、「ミケは猫だ」、あるいは「ミケは動物だ」でもいいかもしれませんが、何かそんな知識が必要です。そしてそれは文で表現されます。

もちろん、「ミケ」の指示対象が何なのか分からないのに、「ミケは猫だ」ということを知っているというのは変でしょう。ですから、それはむしろ同時と考えるべきです。つまり、「ミケ」の指示対象を知ることは「ミケは猫だ」や「ミケは動物だ」といった文が真だということを伴っているのです。いっさいの文の理解の前に「ミケ」の指示対象を定めることはできません。それは何も知らされずに富岳の前に立たされたようなものです。「ミケ」の意味は、文との関係においてのみ、決まるのです。より一般的に言えば、固有名の指示対象は文との関係においてのみ定まる。つまり、固有名も文脈原理に従うのです。

## 6　新たな意味の産出可能性の問題に答える

**やっぱり要素主義の方がいい？　そんなことはない**

一番最初に「新たな意味の産出可能性の問題」を出しました。この問題に答えようとすると、文の意味に先立ってまず語の意味を理解するという、要素主義と呼んだ考え方に誘われます。

だけど、文脈原理の提唱は要素主義を却下します。では、新たな意味の産出可能性の問題にはどう答えればよいのでしょうか。

新たな意味の産出可能性の問題と文脈原理を並べて書き出してみましょう。

> 新たな意味の産出可能性の問題　新たな意味をもった文を無限に作ることができ、容易に理解することができるのはなぜか。
>
> 文脈原理　文の意味との関係においてのみ語の意味は決まる。

文脈原理は、語の意味から出発して文の意味を理解するのではなく、文の意味を基本に置いて、そこから語の意味を捉えていこうとする考え方です。これは一見すると、新たな意味の産出可能性の問題に対してアプローチしにくい考え方にも思えます。新たな意味の産出可能性を考えると、やっぱり文の意味より先に語の意味が決まっていないとだめなんじゃないの？　そんな声が聞こえてきます。

でも、もう少しよく見てみると、実は文脈原理の考え方の方が要素主義よりも新たな意味の産出可能性の問題に答えやすいということが分かります。要素主義的にまず語の意味を考えようとすると、一般観念説のような袋小路に入り込むことはすでに見ました。だけど、それだけではありません。いま、一般観念ってなんのことだか分からないぞという不満は措いといて、固有名の意味は個体であり、一般名の意味は一般観念だとしましょう。そして、それだけがいま理解されているすべてだとします。

例えば、あなたは「ミケ」と「ポチ」をそれぞれある個体を指示する語として理解しているとしましょう。それから、「寝ている」と「追いかける」をそれぞれある一般観念を指示する語として理解している。さて、その理解から「ミケが寝ている」という文や「ミケがポチを追いかける」の意味が理解できるでしょうか。できるような気がするかもしれません。「ミケ」はこの個体で、「寝ている」はこういう状態一般の観念なのだから、「ミケが寝ている」はこういう意味だな。さらに「ポチ」はこの個体で、「追いかける」というのはこういう動作一般の観念なのだから、「ミケがポチを追いかける」の意味も分かるぞ、と。

いや、そうは問屋が卸しません。ほんとに「ミケ」と「ポチ」が指示する個体と「寝ている」と「追いかける」が指示する一般観念を理解しているだけ、それですべてだと考えてください。それだけでは決定的に足りないのです。

## 積み木とレゴブロック

私は、要素主義の考え方を積み木に喩え、それに対して命題関数の考え方をレゴブロックに喩えてみたくなります。レゴブロックの場合には凸凹があって、組み合わせの可能性が制限されますが、積み木の場合にはどう組み合わせようと自由です。いま、「ミケ」、「ポチ」、「寝ている」、「追いかける」の指示対象である積み木が計四個あるとしましょう。積み木は一つひとつ独立して意味をもっていて、それを組み合わせて文を作ります。「ミケ」と「寝ている」の積み木をつなげれば「ミケが寝ている」という文の意味になります。では、「寝ている」と「追いかける」をつなげるとどうなるでしょう。「寝ているが追いかける」？　ナンセンスです。「ミケ」と「ポチ」をつなぐのもだめです。「ミケポチ」。なんのこっちゃ、です。でも、どうしてこれがだめなのでしょう。あるいは、「ミケがポチを追いかける」と「ポチがミケを追いかける」は意味が違います。こうしたことを要素主義はどう説明するのでしょう。

要素主義はそれぞれの語の指示対象を明らかにしますが、それだけです。いわば、「ミケ」、「ポチ」、「寝ている」、「追いかける」の指示対象である積み木があるだけ。これでは、それらをどう組み合わせてよいのか、分かりません。語の指示対象が分かっただけでは、組み合わせ方についての手がかりがない積み木を前にしたのと同じなのです。

それに対して、命題関数という考え方だと、「寝ている」は〈xは寝ている〉という関数として考えられます。xには個体が入力されます。このxが、私にはレゴブロックの凹としてイメージされるのです。ここに個体という凸を組み合わせます。また、「追いかける」は〈xはyを追いかける〉という関数ですから、これを〈xは寝ている〉のxに代入することはできません。だから、「追いかけるが寝ている」はナンセンスになります。これはいわば凹のブロック同士を組み合わせようとして失敗したということです。

それから、〈xはyを追いかける〉という命題関数は二つの凹があるブロックです。何も無理してレゴブロックに喩えなくてもいいのですが、こんなブロックを考えてみてください。

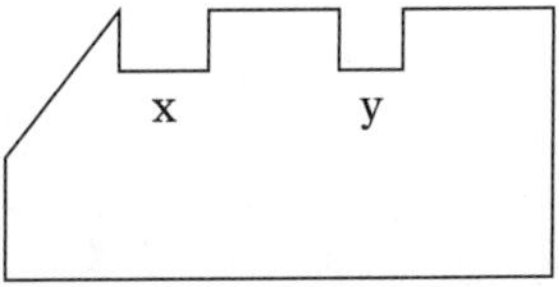

x　　y

xの穴にミケを入れてyの穴にポチを入れた場合と、xの穴にポチを入れてyの穴にミケを入れた場合ではできあがりが違います。つまり、「ミケがポチを追いかける」の真偽と「ポチがミケを追いかける」の真偽は同一ではありません。

要素主義は語の意味を基本として、そこから文を組み立てようという考え方ですから、語の意味は分かったとして、そこからどうやってちゃんとした文に組み立てていけばいいのかという問題がまだ残されています。一般観念には組み合わせ方が示されていません。それに対して、命題関数は文の一部として取り出されてきたものですから、xやyには個体を入力するのだということもそこに示されています。また、〈xはyを追いかける〉という命題関数を表わす述語などの場合には、xとyに入れるものの順番を変えると意味が変わってくるということも、示されています。

文脈原理の考え方では文の意味を基本として、そこから語の意味を捉えようとするので、語を文に組み立て直すのもやりやすいのです。

「猫はよく寝る」と「猫が寝ている」

すると、新たな意味の産出可能性の問題に対して、文脈原理の立場から答えることが可能になりそうです。最も単純な文型は固有名と述語からなるものです。「ミケは猫だ」、「ミケは寝ている」、「ミケはポチを追いかける」、「シンシンはレイレイの親だ」などの文がそうです。だけど、私たちが使う文は固有名と述語からなるものばかりではありません。例えば、猫全般について述べた「猫はよく寝る」という文では、「猫」は固有名ではありません。あるいは、知らない猫が寝ているのを見かけたとき、固有名は使わずに、「猫が寝ている」のように言うでしょう。ここで、こうした文の組み立て方についても見ておくことにしましょう。実は、このような文を組み立てるには、固有名と述語だけでなく、論理の言葉も必要となるのです。

まず、「猫はよく寝る」という文から考えましょう。「ミケはよく寝る」ならば、固有名プラス述語ですが、「猫」は固有名ではありません。では何か。これも「……は猫だ」という述語なのです。ですから、〈xは猫だ〉という命題関数として捉えられます。「ミケは猫だ」という文で「……は猫だ」が述語として捉えられたように、「猫はよく寝る」の「猫」も「……は猫だ」という述語です。「猫はよく寝る」は「猫」が主語で「……はよく寝る」が述語に見えますが、命題関数という考え方からすると、「猫」も〈xは猫だ〉という命題関数を意味する述語ですから、「猫はよく寝る」は二つの述語を組み合わせた文になります。

ここで注意すべきは、「猫はよく寝る」という文には「すべて」という言葉が隠れているということです。「猫はよく寝る」はすべての猫について言っています。そうすると、「猫はよく寝る」という文は、「猫であるものはすべてよく寝る」のような意味になります。命題関数を使って書くと、こうです。

〈xは猫だ〉に当てはまるものはすべて〈xはよく寝る〉にも当てはまる。

最初は分かりにくいかもしれませんが、その気になってじっくり眺めていると、これが「猫はよく寝る」と同じことを言っているのだと思えてきませんか？

**質問** 命題関数に「当てはまる」ってどういう意味ですか？

すいません。説明不足でした。「〈ミケ〉は〈xは猫だ〉に当てはまる」というのは、そのxに〈ミケ〉を代入すると真が出力されるということで、「〈ポチ〉は〈xは猫だ〉に当てはまらない」というのは、そのxに〈ポチ〉を代入すると偽が出力されるということです。「代入すると真を出力する」という言い方もなんだかピンときにくい言い方でしょうから、「当てはまる」と言うことにします。

では、もうひとつ、「猫が寝ている」という文を考えましょう。これも「……は猫だ」という述語と「……は寝ている」という述語の組み合わせです。だけど「猫はよく寝る」と違うのは「すべての猫が寝ている」なんてことを言いたいのではないという点です。「猫が寝ている」は、あそこに寝てる猫がいるよ、みたいなことを言いたいわけです。命題関数を使って書くと、こうなります。

〈xは猫だ〉と〈xは寝ている〉という両方に当てはまるものがいる。

フレーゲは現代の言語哲学の源流となった人ですが、それ以上に、現代論理学を切り拓いた人です。そういうこともあって、このあたりの話は論理学の話と重なってきます。そこでもう少し論理学に近づけて書くと、「猫はよく寝る」の意味は〈すべてのxに対して、xが猫であるならば、xはよく寝る〉と書けます。「ならば」を使うところがミソです。何かある個体xについて、そいつが猫だったら、それはまちがいなくよく寝るよ、というわけです。ここは論理学を教えていてもなかなか理解してもらいにくいところだったりするのですが、いまは「ふーん。そういうものか」ぐらいでよしとしてください。

「猫が寝ている」はどうか。こちらは〈xは猫だ〉と〈xは寝ている〉という両方の命題関数に当てはまるものがいるという意味ですから、「かつ」を使います。そして、〈あるxが存在して、xは猫であり、かつ、xは寝ている〉と書けます。「存在する」とはまた大仰な言い方ですが、気にしないでください。寝ている猫があそこに存在してるんです。

細かいことはいまはどうでもいいです。ポイントは二つの命題関数をつなぐときに、「ならば」とか「かつ」という語、それから「すべて」とか「存在する」という語を使ったことです。こうした言葉は論理学の用語で「論理定項」と呼ばれますが、いまは「論理語」でいいでしょう。あと、否定の言葉「……ではない」や「または」なども重要な論理語です。

こんなふうに固有名と述語に論理語を加えると、言語のかなり大きな部分をカバーできます。[★12]もちろん、かなり大きな部分といっても言語全体からすればほんの一部分に光を当てたにすぎませんが、ここまでで分かったことは、固有名、述語、そして論理語の意味を理解していれば、それを組み合わせていろいろな文が作れるということです。

**「猫が富士山に登った」**

冒頭で「猫が富士山に登った」という文を考えました。こんな荒唐無稽な文でもただちに理解できてしまう、なぜだ、という問いかけでした。これに対して私たちはこう答えることができます。「猫」は〈xは猫だ〉という命題関数を意味する。「富士山」はあの山を指示する固有名だ。「に登った」は〈xはyに登った〉という命題関数を意味する。そして「猫が富士山に登った」というのは、yに富士山を代入して、富士山に登った猫がいる(存在する)ということですから、〈あるxが存在して、xは猫であり、かつ、xは富士山に登った〉を意味すると理解できます。

「猫が富士山に登った」を理解するのにこんな複雑なことしてないよ、と言いたくなるかもしれません。でも、第一に、これはそんなに複雑ではありません。ただ命題関数や論理語を使った表現に慣れていない人には複雑に見えるというだけのことです。慣れれば、寝ている猫を見かけたときにもごく自然に「お、あそこに猫であり、かつ、寝ているものが存在するぞ」と言えるようになるでしょう。（私自身はまだその境地に達していませんが。）第二に、まあ確かにちょっと複雑かもしれないということは認めたとして、十分身についていることのやり方を言葉で説明すると、すごく複雑になってしまうというのは、ふつうにあることです。

## 7　合成原理

### 語の意味から文の意味へ

語の意味から文の意味を導く方向が見えてきました。そこで、一般的に「文を構成する語の意味が決まれば、文の意味は決まる」と言えそうです。この主張は「合成原理」と呼ばれます。これは直観的にうなずける主張じゃないでしょうか。新たな意味の産出可能性の問題に答えようとすれば、どうしたって合成原理が必要になるでしょう。例えば「猫が富士山に登った」なんていう文の場合でも、この文を構成する語の意味は分かっている、だから既知の語を組み合わせて作った文の意味もすぐに分かる、と考えるのが自然な答えです。

道をまちがえたのはこの後です。合成原理に誘われて、「文の意味が決まる前に語の意味が決まっていなければならない」とする考え方、語の意味から出発しようとする要素主義へと向かっていきました。でも、それは袋小路です。そこで要素主義は拒否されて「文の意味との関係においてのみ語の意味は決まる」とする文脈原理が提唱された。ここの流れはこうです。

新たな意味の産出可能性の問題──→合成原理──→要素主義
⇐
袋小路

袋小路から引き返すのに、合成原理まで拒否する必要はありません。合成原理は維持しつつ、要素主義を拒否し、文脈原理を主張するというのが、正しい道です。

## 合成原理と文脈原理は矛盾している?

合成原理は語の意味が決まれば文の意味は決まると言います。他方、文脈原理は文の意味との関係でのみ語の意味は決まると言います。なんだか反対方向の主張に思えて、この二つは両立するのだろうかと思った人もいるのではないでしょうか。語の意味が決まらないと文の意味は決まらないけど、文の意味が決まらないと語の意味も決まらないんだよなあ、とか言って何も決められないでいる、そんな感じさえします。合成原理と文脈原理を並べてみましょう。

合成原理　文を構成する語の意味が決まれば文の意味は決まる。
文脈原理　文の意味との関係においてのみ語の意味は決まる。

この両方が矛盾なく立てられることを納得しやすくするために、機械と部品のアナロジーを使って説明してみましょう。道具として使用される単位は機械です。部品だけではまだ道具としての機能はもちません。部品はそれが機械の中でどのように使われているかによってその意味を定めます。例えば、動力を伝えるのに歯車を使っているとして、それが「歯車」としての意味をもつのは、機械の中で動力伝達に使われるからです。機械とは無関係に歯車だけを取り出しても、それはたんにギザギザのある円盤というにすぎません。機械と部品のこの関係が、文脈原理に対応します。つまり、機械の機能との関係においてのみ、部品の意味は決まる、というわけです。

他方、機械は部品から組み立てられます。これが合成原理に対応していると考えられます。機械は部品から組み立てられており(合成原理)、それらの部品の意味は機械全体との関係で決まる(文脈原理)。少なくとも機械と部品に関してであれば、合成原理と文脈原理は無理なく両立します。

要素主義は、文の意味に先立ってまず語の意味が定まると考えます。そうすると、言葉を学ぶことも、文の意味を理解する前に語の意味をすべて理解して、それから文の意味の理解へと進むということになるでしょう。だけど、私たちの言語理解がそんなふうになっていないことは確かです。文の意味をなにひとつ知らない状態で語の意味だけを学んでいくなんてことはありません。とはいえ、要素主義を否定するからといって、じゃあ、まず文の意味をすべて理解して、それをもとに語の意味の理解へと進むんだ、なんてことになるわけでもありません。語の意味を理解することと文の意味を理解することは、お互いに絡み合った、もっと動的なプロセスなのです。

### 子どもの言語学習

子どもの言語学習を考えてみましょう。子どもは最初のうちは語を発することでいろいろな要求をします。「マンマ」、「おっぱい」、「ちっち」等々。だけど、単語の発話に留まっていては無限に新たな意味を生み出せる豊かな日本語は学べません。そのためにはそうした語を文と関係づけることが不可欠です。大人たちは基本的に文を発話しています。子どもが「マンマ」と言ったときにも、「マンマほしいの?」とか「マンマ食べよう」とか「マンマおいしいね」といったことを、子どもが分かろうと分かるまいとおかまいなしに話すでしょう。そうした大量の文の中に放り込まれた子どもは、最初のうちはちょうど私たちが未知の言語を話す人の中に立たされたときのように、それを語に切り分けることもできないに違いありません。しかし、やがて「マンマほしい」、「マンマ食べる」、「マンマおいしい」といった文に「マンマ」が共通していることに気がつくでしょう。こうして「マンマ」が文との関連で意味づけられていきます。あるいは、「マンマほしい」と「おっぱいほしい」に「ほしい」という共通の語が含まれることにも気づくでしょう。こうして語を文と関係づけたり、文から語を取り出してきたりします。こんなふうに文の理解と語の理解がともに助け合いながら、より確かな理解へと進んでいく。子どもの言語学習が実際にどうなのか、私はよく知りませんが、でも、このように動的なプロセスとして考えると、合成原理と文脈原理が両立することは納得しやすいのではないでしょうか。

多少図式的に単純化して述べれば、こんな感じです。最初は語の発話から始まるでしょうが、ほどなくいくつかの文の意味を漠然とながら理解するようになります。それをもとにその文で使われている語の意味を漠然とながら理解する。こうして語の理解と文の理解が相互に助け合いながら語や文の意味理解が進んでいく。やがて語の意味がある程度しっかりと理解できるようになると、その語を用いて、いままで聞いたことがなかった新しい文を作り始めるし、初めて聞く文も即座に理解できるようになる。もしかしたら、「あのね、猫がね、富士山に登ったんだよ」とありもしないでまかせを言い始めるかもしれません。

# 第三章　「意味」の二つの側面

## 1　文の「意味」

### 驚くべき帰結

ここまでのフレーゲの議論に従えば、固有名の意味はその語の指示対象(個体)で、述語の意味は個体を入力して真偽を出力する命題関数です。では、文の意味は何でしょうか。

ここで合成原理が効いてきます。文の意味は文を構成する語の意味が決まれば決まる。「ミケは猫だ」という文の意味の場合、固有名「ミケ」の意味はその指示対象である〈ミケ〉で、述語「……は猫だ」の意味は〈x は猫だ〉という命題関数です。こうして語の意味が決まったら、それによって決まってくるものが文の意味ということになります。それは何でしょう。

答えは驚くべきものとなります。というより、こんな結論になるんだったら、むしろいまま

での話はどこかおかしいんじゃないかと思わせるほどのものです。ゆっくり確認しながら進みましょう。

命題関数とは個体から真偽への関数です。

〈x は猫だ〉は〈ミケ〉を入力すれば真、〈ポチ〉を入力すれば偽を出力します。

で、いま〈ミケ〉を入力するというわけです。

すると、「ミケは猫だ」という文において、それを構成する語である「ミケ」と「……は猫だ」の意味が定まったら定まってくるものとは……。

「ミケは猫だ」が真であること、これです。

つまり、「ミケは猫だ」の意味は真だということになります。

「ミケ」の意味を〈ミケ〉と書いたように、文の意味であることを示すために〈真〉および〈偽〉と書くことにしましょう。「ミケは猫だ」の意味は〈真〉です。

ちょっと待って、じゃあ、「漱石は人間だ」の意味は何？

それも〈真〉です。

「ミケは猫だ」と「漱石は人間だ」の意味は同じということ？

そうなります。

そんな、ありえないでしょう。

ええ、「伊藤博文は初代内閣総理大臣である」も「東京タワーは港区にある」もどちらも同じ意味(〈真〉)になります。異様な結論ですよね。でも、次の三つはどうでしょう。

① 固有名の意味は指示対象である個体である。
② 述語の意味は個体から真偽への命題関数である。
③ 文を構成する語の意味が決まれば文の意味は決まる(合成原理)。

これらはどれももっともらしい。そして、この考え方によって要素主義と一般観念説の袋小路から脱出できたのです。だとすれば、結論が異様だからといって、簡単に捨ててしまうこともできません。

## 「意味」の意味

固有名の「意味」はその語の指示対象である個体とし、述語の「意味」は個体から真偽への命題関数とする、この考え方は悪くないと思えるのですが、どうもこれだけでは「意味」ということで私たちが考えていることを捉えきれていないようです。だって、そうすると文の「意味」は〈真〉か〈偽〉の二通りということになってしまいますから。

このあたり、哲学の難しさともどかしさが現われています。そもそも言葉の「意味」とは何なのか、それがはっきりしていないのです。喩えて言えば、キョンの生態を調べようとするのだけれど、そもそもキョンの外見もよく分からないというような感じ。まあ、「意味」については漠然とした理解をもっているでしょうから、それほど極端ではないにしても、でも、「意味」ということで私たちは何を意味しているのか、それもまたここで問われています。

フレーゲがとった道は、ここまでの議論は「意味」と呼ばれることのひとつの側面にすぎないとすることでした。「意味」にはもうひとつの側面があるのだ、というのです。でも、その話はフレーゲ以前から言われていた外延と内包という考え方の延長にありますから、まず外延と内包という考え方を見ておきましょう。

## 2 指示対象と意義

### 外延と内包

説明のために、少しわざとらしい事例ですけど、素数という概念について考えてみます。整数とか約数については習っている小学六年生の子に、素数とは何かを教えるとします。ちなみに、ここで考えたい子どもは第一章に登場した太郎君のような天才的な子ではなく、平凡な子です。そこで、こんなふうに教えましょう。「例えば、2、3、5、7、11、13などは素数と呼ばれる。これらの数は1とその数自身以外に約数をもっていないね。このように、1より大きい整数の中で、1と自分自身以外に約数をもたない数を素数と言うんだ。13は1と13以外に約数をもたないから、素数。でも、14は1と14以外にも2と7を約数にもつから、素数じゃない。分かった？」この説明では、具体例を示しながら素数の定義を述べています。やっぱり具体例があった方が分かりやすいでしょうし、とはいえ一般的な定義も教えなければ素数という概念を理解したとは言えません。

仮に、「素数って何かな？」と質問したら、「2、3、5、7、11、13、……」といつまでも続けられて、「524287も素数です」なんて言えるのに、素数の定義が言えない（ある意味天才的な）子がいたとして、この子は素数という概念を理解しているのかというと、うーん、どうでしょうね。逆に、素数の定義は言えるのに、具体的に素数をひとつも挙げられないとしたら、これもまた素数という概念を理解しているとは言えないでしょう。

ある概念に対して、その概念に当てはまる対象を「外延」と言います。そして、その対象を取り出すための属性が「内包」と呼ばれます。素数という概念の場合には、「2、3、5、7、11、13、……」が素数の外延で、「1と自分自身以外に約数をもたない1より大きい整数」という定義が素数の内包ということになります。

素数は定義もはっきりしていますから、外延と内包を説明するには都合がよい例でした。だけど日常的な概念のほとんどは明確な定義をもっていません。例えば「猫」なんかだってそうで、生物学的には何か定義があって、遺伝子レベルでの規定もあるのでしょうけど、私たちが日常的に理解している「猫」の概念って、そんな遺伝子レベルとは無縁のものです。だけど、猫を見れば猫って分かるし、猫じゃないものを見れば猫じゃないと分かる。つまり、この場合は「猫」の外延的な理解はできているのだけど、じゃあ「猫」の内包はなんだと言われると、答えに窮してしまう。なんだか、わけも分からず素数を正確に言い続けられるさっきの天才児みたいです。

ちょっともやもやしますが、いまは概念に対して外延と内包という二つの捉え方が提唱されていたということだけ押さえておいて、フレーゲの議論に戻ることにしましょう。

## 外延と内包という考え方を拡張する

フレーゲは「猫」を「……は猫だ」という述語と考えて、その意味を〈x は猫だ〉という命題関数として捉えました。これは外延と内包という考え方からすると、外延的な捉え方なのか、それとも内包的な捉え方なのか。どちらだと思いますか？

命題関数は個体から真偽への関数です。例えば〈xは素数だ〉という命題関数を考えましょう。xに13を代入すれば真が出力され、14を代入すれば偽が出力されます。つまり、〈xは素数だ〉という命題関数に入力して真となる数を列挙すれば、2、3、5、7、11、13、……となるわけです。これは素数の具体例、外延です。ということは、命題関数は外延的な捉え方だと言えます。

外延と内包という考え方は概念に対するものでしたから、固有名にも適用されるかは明らかではありません。しかし、猫という概念に当てはまる〈ミケ〉や〈タマ〉が猫の外延でしたから、「ミケ」の指示対象である〈ミケ〉も「ミケ」という固有名の外延と言ってよさそうです。そこでフレーゲは、外延と内包という考え方を概念だけでなく固有名や文にまで拡張します。固有名、述語、文、これらの意味には外延的側面と内包的側面があるというのです。

意味の外延的側面は、フレーゲの母語であるドイツ語で“Bedeutung”と言われます。これは日本で出版された『フレーゲ著作集』[★13]では「意味」と訳されています。しかし、言葉の意味について一般的に述べているところでフレーゲの特殊な意味での「意味」を混入させると混乱するでしょう。ですから、ここでは意味の外延的側面である“Bedeutung”は「指示」ないし「指示対象」と言うことにします。★14

他方、意味の内包的側面はドイツ語で“Sinn”と言われて、これは「意義」と訳されます。「意義」というと、「重要性」とか「価値」みたいな意味で使われますが、言語哲学では「意義」という用語が定着していますから、私たちも「意義」という言葉を使うことにします。ただし、あくまでもフレーゲが取り上げようとしている内包的な意味の側面を表わす言葉であって、「重要性」とか「価値」といった意味合いは含まないので注意してください。

言葉の意味には、固有名も述語も文も、指示対象という外延的側面と意義という内包的側面がある。これがフレーゲの主張です。フレーゲのこの主張を正確にどう捉えるか、あるいはフレーゲ解釈の問題としてではなく、言葉の意味とは何かという哲学問題として、指示対象という外延的意味と意義という内包的意味をどう捉えるかは、まだまだはっきりしません。まずその第一歩として、霧の向こうに目指すものを見るような感じですが、指示対象はその言葉が「何を」指すかであり、意義はその言葉がその指示対象を「いかに」指すかだと言っておいてよいでしょう。――あ、質問ですか？　「ミケ」の指示対象は〈ミケ〉だけど、固有名「ミケ」は〈ミケ〉を「いかに」指示するのかって？　いやいや、せっかちですね。実際、難しいところです。ゆっくり考えていきましょう。

固有名の意味は個体で、述語の意味は命題関数。そして「文を構成する語の意味が決まれば文の意味は決まる」という合成原理に従えば、文の意味は〈真〉または〈偽〉のどちらかになる。確かにこれは驚くべき帰結ですし、これでは私たちが「文の意味」ということで漠然とながらもっている直感からあまりにも離れています。しかし、「意味」を指示対象と意義という二つの側面で捉えるならば、ここまでの議論は指示対象という側面にすぎないと言えるでしょう。文は〈真〉ないし〈偽〉を指示するのです。フレーゲは、文は〈真〉ないし〈偽〉の固有名なのだとさえ言います。「東京タワーは港区にある」は〈真〉に対する固有名であり、「富士山はブラジルにある」は〈偽〉に対する固有名だというのです。これもまたびっくりする言い方ですが、それは文の外延的意味に関してのことであり、私たちが「文の意味」ということでもつ直感は内包的意味、文の意義に関わっているのだということです。じゃあ、意義とは何なのでしょうか。それをこれから考えていこうというわけです。

だったら第二章の議論はむだで、私たちの直感を掬(すく)い取ってくれるような意義の話をとっととすればよかったんじゃないか。あるいは意義の話だけでいいんじゃないか。そんな疑問をもった人はいないでしょうか。もたなかったというのであれば、いまのように質問されたらどう答えられそうか、考えてみてください。私自身がうまく答えられそうにない疑問ですから、みごとな回答を返せる人には拍手を送ります。どう答えてよいか見当がつかないという人、少し考えてみて、ぜひこの疑問を共有してみてください。「言葉の意味とは何か」という哲学問題に対しては、指示対象の話なんかしないで、意義の話だけでよいのではないか。

指示対象のレベルでは文の意味は〈真〉または〈偽〉の二通りしかないという、なんとも不十分な結論になっています。だけど、固有名の「意味」はその語の指示対象であるというのは、かなりもっともらしいことですし、述語の「意味」を命題関数として捉えるのはとてもうまいやり方に思えます。その帰結が不十分だからといって、それらの議論を投げ棄てるのはもったいないことです。

でもそれ以上に、たとえ「文の意味」の重要な側面が意義というところにあるとしても、意義を考える上で指示対象という側面は不可欠だと考えられます。おそらくフレーゲもそう考えていたと思うのですが、フレーゲの考えの正確なところは私には分かりません。そして私自身の考えも、そんなにきちんとまとまってはいません。でも、私はこんなふうに言いたくなります。「何を」がなくて「いかに」だけあるなんて、おかしいでしょう?

少し以前に述べたことを繰り返させてください。世界のものごとを描写するというのは、言語の重要な働きです。そうした文は世界のあり方に応じて真ないし偽となります。真偽こそが言葉と世界との基本的関係なのです。そして、「文の意味との関係においてのみ語の意味は決まる」とする文脈原理から、述語の意味は個体を入力して真偽を出力する命題関数とされ、固有名の意味は個体であるとされます。つまり、外延的意味というのは、言葉と世界とを結びつける基盤と言えます。まず指示対象〈個体、命題関数、〈真〉ないし〈偽〉〉を押さえることによって、言葉と世界の基本的関係が捉えられ、その上で、それが「いかに」結びついているのかが言われうるのです。なるほど文がその豊かな意味を開いていくのは、意義という内包的意味のレベルでしょう。だけど、それはあくまでも文の指示対象として〈真〉ないし〈偽〉を捉えた上でのことです。

### 文の意義

では、文の意義とは何でしょうか。文の指示対象は〈真〉ないし〈偽〉です。それに対して意義が「いかに」に関わるのだとすれば、文の意義はその文が「いかにして」真ないし偽になるのかだと言えそうです。例えば「伊藤博文は初代内閣総理大臣である」も「東京タワーは港区にある」も真ですが、どのようにして真になるのかという点では両者はまったく異なっています。つまり、「伊藤博文は初代内閣総理大臣である」を真にする世界のあり方と「東京タワーは港区にある」を真にする世界のあり方は違います。ある文がどういうときに真になり、どういうときに偽になるのかを述べたものは、現代の言語哲学では「真理条件」と呼ばれます。文の意義は真理条件だと言えるでしょう。★15

フレーゲはこうして文の意味に対して意義という内包的側面を考え、そこからさらに語（固有名と述語）の意義を考えていきます。しかし、こうしたフレーゲの議論が正しいのかどうかは、よく考えるべき問題です。フレーゲの後で私たちはラッセルとウィトゲンシュタインの議論を見ていきますが、ラッセルはそもそも意義という意味の側面を認めず、指示だけで考えようとしました。ウィトゲンシュタインは『論考』において、文には意義だけを認め、語には指示対象だけを認めるという考えを提示しました。さて、どれが正しいのか。それともどれも正しくないのか。私としては『論考』の考え方に惹かれるのですが、いまはその話は措いておきましょう。もうしばらく、フレーゲに従って、語にも意義を認める方向で進んでみます。

### 述語の意義

新たな意味の産出可能性という問題に答えるには、「文を構成する語の意味が決まれば文の意味は決まる」という合成原理が成り立ってほしいところです。そしていま、意味を指示対象と意義という二つの側面で捉えようというのですから、意義に関しても合成原理が成り立ってほしい。そしてフレーゲは実際そう考えました。文の意義も語の意義が決まれば決まる、というわけです。そして、文脈原理の考え方はここでも適用されますから、語の意義は文の意義との関係でのみ決まります。

意義の合成原理　文を構成する語の意義が決まれば文の意義は決まる。
意義の文脈原理　文の意義との関係においてのみ語の意義は決まる。

述語の意義について考えてみましょう。例えば、「二等辺三角形」と「二等角三角形」という語を考えてみます。二等辺三角形は二辺の長さが等しい三角形です。「二等角三角形」はあまり聞かない言葉ですが、二つの角が等しい三角形のことです。これらはそれぞれ述語として捉えられ、その指示対象は〈xは二等辺三角形だ〉と〈xは二等角三角形だ〉という命題関数になります。ところが、二等辺三角形というのは必ずその底角が等しくなりますから、二等辺三角形は必ず二等角三角形になり、逆に二等角三角形は必ず二等辺三角形になります。ですから、ある図形を〈xは二等辺三角形だ〉という命題関数に入力して真になるとしたら、その図形は必ず〈xは二等角三角形だ〉に入力しても真になりますし、〈xは二等辺三角形だ〉に入力すると偽になる図形は、〈xは二等角三角形だ〉に入力しても偽になります。つまり、「二等辺三角形」の指示対象である〈xは二等辺三角形だ〉という命題関数と「二等角三角形」の指示対象である〈xは二等角三角形だ〉という二つの命題関数は、同じものを入力すれば同じものを出力するという意味で、同じ関数なのです。

フレーゲ以前の外延と内包という言葉を使って述べてみましょう。「二等辺三角形」という概念に当てはまる具体例は「二等角三角形」という概念に当てはまる具体例と同じです。つまり、「二等辺三角形」と「二等角三角形」の外延は一致します。ですから、両者の違いはその内包にあると考えられます。

では、「二等辺三角形」と「二等角三角形」の内包的意味、すなわち意義の違いとは何でしょうか。その命題関数に図形Aを入力して、真が出力されたとします。つまり「Aは二等辺三角形だ」と「Aは二等角三角形だ」の外延的意味、すなわち指示対象はどちらも〈真〉です。しかし、それがどのようにして真になるのか、その真理条件は異なるでしょう。「Aは二等辺三角形だ」が真になるのは、その図形が三角形であり、その二つの辺の長さが等しいとき、そしてそのときのみです。「Aは二等角三角形だ」が真になるのは、その図形が三角形であり、その二つの角の大きさが等しいとき、そしてそのときのみです。つまり、この二つの命題の真偽は一致するのですが、その真偽を確かめるためのチェックポイントが異なります。これが、「二等辺三角形」と「二等角三角形」の意義の違いを示しています。

もう一例挙げましょう。「ダイヤモンド」。ダイヤモンドというのは宝石の中で最も硬いんだそうです。だから、〈xはダイヤモンドだ〉という命題関数と〈xは最も硬い宝石だ〉という命題関数は同じものを入力すれば同じ真偽を出力します。つまり、関数としては同じものです。だけど、真偽を見分けるときの、いわば目のつけどころが違います。「ダイヤモンド」はその成分(炭素)と特徴的な結晶構造で定義されますが、「最も硬い宝石」は宝石の硬度を測定することでチェックされます。つまり、「ダイヤモンド」と「最も硬い宝石」は外延的には同じものを指示するのですが、その内包的意味、すなわち意義は異なっていると言えます。

## 3　固有名の意義

述語に意義という内包的側面を認めることに対して、「いや、外延的に指示対象だけでいくんだ」と反対することはできるでしょう。しかし、例えば「猫である」という述語は「猫」という概念に対応しますから、述語の意味に指示対象と意義の二つの側面を認めるのは、概念に対して言われていた外延と内包の話と重なるところですし、わりと納得しやすいのではないでしょうか。

意見が大きく分かれる――非専門家の直感だけでなく、専門的研究者の意見も分かれる――のは、固有名の場合です。「ミケ」は〈ミケ〉の名前で、「伊藤博文」はあの明治時代の政治家だった人物の名前です。そして固有名の意味としてはそれで十分、指示対象だけ考えればいいじゃないかという直感があります。

とはいえ、もし固有名に意義を認めないのであれば、文の意義は語の意義によって定まるとする合成原理が成り立たないことになります。合成原理が成り立たないとなると、新たな意味の産出可能性の問題にどう答えてよいか分からなくなる。そこでフレーゲは、固有名にも意義という意味の側面があることを示すために、二つの議論を用意するのです。

ただし、フレーゲは「伊藤博文」のようなふつうに固有名とされるものだけではなく、「初代内閣総理大臣」のような表現も固有名とみなしていたので、ちょっと注意が必要です。例えば、「初代内閣総理大臣は好色だった」なんて言うとき、「初代内閣総理大臣」で〈伊藤博文〉という人物を指示していると考えるのは自然でしょう。ちなみに、色好みで有名だったらしいです。まあそれはいまはどうでもよくって、だから、フレーゲは「初代内閣総理大臣」という表現を「伊藤博文」と同様の指示表現とみなし、それも「固有名」と呼んでいます。

もう一例挙げましょう。「太陽系第三惑星には豊かな海がある」という文では、「太陽系第三惑星」という表現で〈地球〉を指示していると考えられます。ですから「太陽系第三惑星」という表現も、「地球」という語と同様に固有名とされるのです。

## 同一性を主張する文の謎

固有名が指示対象という外延的意味しかもたないのだとすると、「伊藤博文」と「初代内閣総理大臣」は同じ意味だということになります。どちらも、同じ人物を指示するわけですから。でもそうすると、「第五代内閣総理大臣」も「第七代内閣総理大臣」も「第十代内閣総理大臣」も伊藤博文ですから、それらは全部〈伊藤博文〉を指示する同じ意味の固有名ということになります。さらには、「ハルビンで暗殺された明治時代の日本の政治家」なんてのも、〈伊藤博文〉を指示する固有名として同じ意味だということになりそうです。このことは、固有名にも意義という内包的意味の側面があることを示している、とフレーゲは論じます。

もし「初代内閣総理大臣」と「伊藤博文」がまったく同じ意味だとすると、どちらの固有名を使っても文全体の意味は変わらないことになります。例えば、「初代内閣総理大臣は好色だった」と「伊藤博文は好色だった」はまったく同じ意味だ、と。ここですでに、なんか変だなと感じる人もいそうですが、フレーゲはそのおかしさを厳しく追及します。

「初代内閣総理大臣と伊藤博文は同じ人物だ」という同一性を主張する文を考えます。「初代内閣総理大臣」が「伊藤博文」とまったく同じ意味だとすると、いまの文の「初代内閣総理大臣」を「伊藤博文」で置き換えても文全体の意味は変わらないはずです。置き換えるとどうなるか。「伊藤博文と伊藤博文は同じ人物だ」となります。「初代内閣総理大臣と伊藤博文は同一人物だ」と「伊藤博文と伊藤博文は同一人物だ」が同じ意味だということに同意する人はいないでしょう。

フレーゲはその違いを「認識価値」の違いだと指摘します。「伊藤博文と伊藤博文は同一人物だ」にはなんの情報量もありません。伊藤博文のことを何も知らない人でも「伊藤博文と伊藤博文は同一人物だ」と言えます。それに対して「初代内閣総理大臣と伊藤博文は同一人物だ」には情報量があります。このことを初めて知った人は知識が増えたと言えるでしょう。このように私たちの知識を増やしてくれることをフレーゲは「認識価値」という言葉で表現します。「初代内閣総理大臣と伊藤博文は同一人物だ」には認識価値があるけれども、「伊藤博文と伊藤博文は同一人物だ」には認識価値はない。その違いを捉えるには、固有名の意味を指示対象だけで考えていたらだめだ。固有名にも意義という内包的意味の側面がある。そうフレーゲは議論するのです。

もしかしたら、「初代内閣総理大臣」が固有名だってのが怪しいと感じる人もいるかもしれません。じゃあこんな例はどうでしょう。近所に「菅生大将」という人がいて、見かけると「すごうさんおはよう」とか「たいしょう、元気？」ぐらいは声をかけるとします。ところが、ある日、この菅生さんが「菅田将暉」というテレビでもよく見る俳優だと知ったときの驚きといったら。「菅生大将は菅田将暉なんだ！」この文には認識価値があります。でも、「菅生大将は菅生大将だ」という文には認識価値はありません。「菅生大将」も「菅田将暉」も同じ人物を指示しますから、この認識価値の違いは固有名の意味を指示対象だけで考えると説明できないとフレーゲは論じるのです。

このあと菅田将暉の事例を使い続けるのも、なんとなくミーハーぽくて気が進まないので、フレーゲが使っている事例も紹介しておきます。日の出前にひときわ輝いている星は「フォスフォラス」、日没直後にひときわ輝いている星は「ヘスペラス」と呼ばれます。「明けの明星」と「宵の明星」でもいいのですが、それだと「「明けの明星」って固有名なの？」と言われそうですから、文句なく固有名の例にしたいので、「フォスフォラス」と「ヘスペラス」でやることにします。

この例が巧みなのは、かつてフォスフォラスとヘスペラスは違う星だと思われていたというところにあります。それがどうもあれは同じ星だぞと気づかれるようになった。つまり、現代の私たちに言わせれば、どちらも金星です。そこで、「フォスフォラスとヘスペラスは同じ星なんだ」と言われる。さて、このあとはもうお分かりですね。私が説明を続ける前に、一呼吸おくことにしましょう。

ここで指示対象だけが固有名の意味だとすると、どうなるでしょう。

「フォスフォラス」と「ヘスペラス」はまったく同じ意味だということになります。だとすると、合成原理に従えば、ある文の中の語を、それと同じ意味の別の語で置き換えても文の意味は変わりませんから、「フォスフォラスとヘスペラスは同じ星なんだ」の「フォスフォラス」を「ヘスペラス」に変えても文全体の意味は変わらないはずです。で、こうなります。

「フォスフォラスとヘスペラスは同じものだ」……④

↓

「フォスフォラスとフォスフォラスは同じものだ」……⑤

しかし、④と⑤が同じ意味だとは思えないでしょう。フレーゲの言い方では認識価値が違います。「フォスフォラスとヘスペラスは同じものだ」は大きな発見で、認識価値があります。他方、「フォスフォラスとフォスフォラスは同じものだ」は無内容で、「そりゃまあそうでしょ」てなもんです。認識価値、ゼロです。

そこでフレーゲは、この認識価値の違いを説明するには、固有名の意味に対しても意義という内包的側面が必要だと論じるのです。では固有名の意義とは何でしょうか。先におおざっぱな言い方として、指示対象はその言葉が「何を」指すかであり、意義はその言葉がその指示対象を「いかに」指すかだと述べました。その方針で考えると、固有名の指示対象は個体ですから、固有名の意義はその個体が「いかに」指示されるかだと言えそうです。

文脈原理のことも考えておかねばなりません。文の意義との関係においてのみ語の意義は決まります。文の意義は、その文がどういうときに真になり、どういうときに偽になるか、つまりその文の真理条件でした。ですから、固有名の意義は、その固有名を用いた文の真理条件との関係で考えなければいけません。

この点でもフレーゲの挙げた例は巧みです。「フォスフォラス」と「ヘスペラス」の指示対象は同じ星ですから、例えば「フォスフォラスには生物がいる」が真ならば「ヘスペラスには生物がいる」も真になります。だけど、「フォスフォラス」の場合には、明け方輝いているということによってその星を同定するでしょうし、「ヘスペラス」の場合には夕方輝いているということによって同定するでしょう。このように、指示対象がどのように提示されているかが、その固有名の意義だとされるわけです。

「菅生大将」と「菅田将暉」の場合であれば、「菅生大将」の意義はその指示対象である人物が近所の人という様態で提示されているでしょうが、「菅田将暉」の場合はテレビや映画で見る俳優としての様態で提示されていることになるでしょう。

どうでしょう。けっこう説得力があるように私には感じられます。でも、こういう事例で考えていると納得するのですが、例えば「野矢茂樹」の意義を考えると、なんだかよく分からなくなるのです。私の身近な人たちや、おそらく授業を受けている学生たちも「野矢茂樹」の指示対象を知っているでしょう。では、その人たちにこの人物はどのような仕方で提示されているのでしょうか。なかなかいいやつだ。ありがとうございます。でも、そういうことではなくて、「野矢茂樹」についての文の真偽を調べるときに、どういう仕方で「野矢茂樹」の指示対象を定めようとするかというのが、「野矢茂樹」の意義です。どうぞご自分の名前についても、その意義は何かと考えてみてください。

あるいは「東京タワー」の意義とか「八丈島」の意義って、何でしょう。「フォスフォラス」と「ヘスペラス」のような、指示対象が同じだけれど何か意味は違うだろうなという直感をもつ事例だと、だから意義という内包的意味の側面が必要なんだというフレーゲの議論は説得力をもつのですが、いざごくふつうの固有名についてその意義は何なのかと考えると、私はよく分からなくなってくるのです。かといって、固有名には意義はないと主張するほどの考えもありません。もやもやしますが、もう少しフレーゲについていくことにしましょう。

## 信念文の謎

固有名の意味にも意義という側面を考えなければいけないとする議論として、いま見た同一性の問題に加えて、フレーゲはもうひとつ別の議論を示します。その議論を理解するために、まず、一般に「ある文の語をその語と指示対象が同じである別の語で置き換えても、文全体の真偽は変わらない」という原則が成り立つことを押さえておきましょう。この原則を「指示の代入則」と呼ぶことにします。

このことはいままでの説明の中でも、当然のこととして出ていました。「フォスフォラス」と「ヘスペラス」は同じ星を指示しますから、「フォスフォラスには生物がいる」と「ヘスペラスには生物がいる」の真偽は同じになります。あるいは、「伊藤博文」と「初代内閣総理大臣」の指示対象は同じですから、「伊藤博文は暗殺された」と「初代内閣総理大臣は暗殺された」の真偽は同じです。一般に、指示対象が同じである別の語で置き換えても、文全体の真偽は変化しません。

指示の代入則 ある文の語をその語と指示対象が同じである別の語で置き換えても、文全体の真偽は変わらない。

ところが、この指示の代入則が守られないように見えるタイプの文があります。例えば、「花子はフォスフォラスに生物がいると信じている」という文を考えてみましょう。花子は、明けの明星は「フォスフォラス」と呼ばれ、宵の明星は「ヘスペラス」と呼ばれるのだと、どうでもいいことを知っているお父さんに教えられます。でも、花子はそれが同じ星だとは思っていない。そんな状況です。

「花子はフォスフォラスに生物がいると信じている」は真です。じゃあ、「フォスフォラス」と指示対象が同じ「ヘスペラス」で置き換えても、文全体の真偽は変わらないかというと、「花子はヘスペラスに生物がいると信じている」は必ずしも真ではありません。花子は「フォスフォラス」と「ヘスペラス」が同じ星だとは思っていないので、フォスフォラスに生物がいると思っていても、ヘスペラスに生物がいるとは思っていないかもしれないからです。あるいは、「花子は菅生大将が結婚していると信じている」が真でも、「花子は菅田将暉が結婚していると信じている」は偽かもしれません。

ひとつ細かい注意ですが、このような「……と信じている」といったタイプの文は「信念文」と呼ばれます。「信念」というと主義や信条、あるいは信仰といったことを考えがちですが、ここではもっと「……ということが事実だと思っている」という程度の意味です。

では、確認のためにもう一例。「太郎は初代内閣総理大臣が暗殺されたと信じている」と「太郎は伊藤博文が暗殺されたと信じている」という例ではどうでしょう。ちょっとこの例でいまの話をおさらいしてみてください。

「初代内閣総理大臣」と「伊藤博文」の指示対象は同じです。ですから、指示の代入則に従うと、「太郎は初代内閣総理大臣が暗殺されたと信じている」の真偽と「太郎は伊藤博文が暗殺されたと信じている」の真偽は一致するはずです。ところが、そうはならない。太郎は「初代内閣総理大臣」が「伊藤博文」だと知らないかもしれないからです。そのとき、太郎が「初代内閣総理大臣は暗殺された」と信じていても、「伊藤博文は暗殺された」とは信じていない

ということが起こりえます。

さて、以上のことは何を示しているのでしょうか。

信念文では指示の代入則は成り立っていない。そう結論したくなります。しかし、指示の代入則は「文を構成する語の意味が決まれば文の意味は決まる」という合成原理からの帰結です。語の指示対象が決まれば文の指示対象も決まります。そして文の指示対象は〈真〉ないし〈偽〉です。ですから、ある語をそれと指示対象が同じ別の語で置き換えても、文全体の真偽は変わらないはずです。合成原理はかなりもっともらしい原理ですから、例外を許したくありません。だとすれば、信念文でも合成原理が成り立っていると考えたい。だけど信念文で「フォスフォラス」を「ヘスペラス」に置き換えた場合、文全体の真偽は必ずしも同じにはなりません。どうすればよいのでしょう。

答えはひとつです。信念内容を表わす従属節中では「フォスフォラス」と「ヘスペラス」の指示対象は同じではないと考えるしかありません。ふつうはどちらも〈金星〉を指示します。しかし、「花子はフォスフォラスに生物がいると信じている」と「花子はヘスペラスに生物がいると信じている」という信念文の場合には、「フォスフォラス」と「ヘスペラス」は〈金星〉を指示しておらず、その指示対象は異なっていると考えるのです。指示対象が同じではないなら、「フォスフォラス」を「ヘスペラス」に置き換えたときに文全体の真偽が変わってもおかしくはありません。

では、何を指示しているのか。そこで意義の出番だ、とフレーゲは言うのです。「花子はフォスフォラスに生物がいると信じている」という信念文における「フォスフォラス」の指示対象は、その従属節だけを取り出した「フォスフォラスに生物がいる」という文における「フォスフォラス」の意義だ、と。ふむ。分かるような、分からないような。いや、率直に言ってよく分かりません。実は、このフレーゲの答えには私自身があまり納得できていないのです。でも、まずはフレーゲに目いっぱい寄り添って、フレーゲの言っていることに私としては最大限の説得力をもたせるよう、がんばって説明してみましょう。

「花子はフォスフォラスに生物がいると信じている」という文は、花子の信念について述べています。信念について述べるということは、世界のものごとが花子にどう捉えられているかを述べるということです。だとすれば、そこで「フォスフォラス」が意味するのは〈金星〉という星そのものではなく、その星が花子にどう捉えられているかだと言うべきでしょう。だから、「花子はフォスフォラスに生物がいると信じている」という文は、「花子は「フォスフォラス」をある仕方で捉えている。そしてそこに生物がいると信じている」といったことを意味していると考えられます。

「フォスフォラス」の捉え方は「明け方輝いている星」、「ヘスペラス」の捉え方は「夕方輝いている星」といったものでしょうか。だとすると、「フォスフォラス」の捉え方と「ヘスペラス」の捉え方が異なる以上、「花子はフォスフォラスに生物がいると信じている」と「花子はヘスペラスに生物がいると信じている」の真偽が必ずしも一致しないのは当然です。「フォスフォラスに生物がいる」という文では、「フォスフォラス」の指示対象は〈金星〉という星で、意義はその星がどのように捉えられているかです。この、「金星の捉えられ方」という意義が、信念文の中で「フォスフォラス」の指示対象になっている、フレーゲはそう主張しているわけです。

**私はフレーゲの解答についていけない**

フレーゲのこの議論が説得力をもつならば、それに応じて、固有名の意味にも意義という内包的側面があるという主張も説得力をもつことになります。どうでしょうか。実のところ私自身は、さっきも言ったように、どうもこの議論には呑み込みがたいものがあると感じているのですが、納得できましたか?

**質問** いまさら聞くことではないのかもしれませんが、ずっと気になっていたことで、「フォスフォラス」と「ヘスペラス」ってそもそも信念文じゃないふつうの文でも指示対象は異なるんじゃないですか？「明けの明星」と「宵の明星」だともっとはっきりするんですけど、「フォスフォラス」や「明けの明星」は〈金星〉という星ではなくて、明け方にひときわ輝いている空の光点を指示していて、「ヘスペラス」や「宵の明星」は夕方にひときわ輝いている空の光点を指示しているんじゃないでしょうか。

確かに、そんな直感はあると思います。実際、「宵の明星」の指示対象が〈金星〉であるならば、「宵の明星は夜明け前に輝く」は真ということになりますが、宵の明星なんだから宵、つまり日暮れ後に輝くのであって、夜明け前には輝かないだろうという気もして、真とは言い難い感じがします。そしてもし信念文ではないふつうの文の場合でも「フォスフォラス」と「ヘスペラス」の指示対象が違うのであれば、固有名の意義などを考えなくても、「フォスフォラス」を「ヘスペラス」に置き換えると真偽が異なりうるのはあたりまえのことです。

でも、「宵の明星」は〈金星〉を指示するという直感もあります。例えば、夕方の空を指して、「ほら、宵の明星が出てる。あれは明け方にも輝くんだよ」と言えば、やはり「宵の明星」は〈金星〉という星を指示しているようにも思えるのです。

このように、「フォスフォラス」と「ヘスペラス」の指示対象は何なのかということに関して、私自身の考えは揺らいでいます。とはいえ、そこをフレーゲに同意して、「フォスフォラス」と「ヘスペラス」の指示対象は〈金星〉だと認めたとしても、いまの信念文に関するフレーゲの分析には、私はまだ納得できないでいます。

例えば、「太郎は伊藤博文が暗殺されたと信じている」という文で、フレーゲによればその信念文における「伊藤博文」は、〈伊藤博文〉という人物ではなく、「伊藤博文は暗殺された」という文における「伊藤博文」の意義――〈伊藤博文〉が指示される仕方――を指示していることになります。しかし、正直言って私にはそれがどういうことなのか、よく分からないのです。太郎が信じているのは、伊藤博文という人物が暗殺されたということであって、伊藤博文の意義が暗殺されたわけではないでしょう。だいたい伊藤博文の意義が暗殺されるってどういうことなのか、私には分かりません。きっと、フレーゲをもっとよく理解している人ならば、「分かってないなあ」と苦笑いするか、そんなんでわけ知り顔にフレーゲの解説をするなと私を叱るところでしょう。でも、分からないものを分かったようなふりをして解説することはできないので、正直に述べておきます。

それから、「花子はフォスフォラスに生物がいると信じている」という文における「フォスフォラス」には、指示対象だけでなく意義もあるでしょう。で、私はもうそうなるとそれがどういうことだかさっぱり分からなくなります。以下、話がぐちゃぐちゃになりますので、心してついてきてください。「フォスフォラスに生物がいる」という文を「通常の文」と呼ぶことにします。いま私が問うたのは、信念文における「フォスフォラス」の意義は何かです。それは信念文における指示対象の提示のされ方でしょう。で、信念文における「フォスフォラス」の指示対象は、フレーゲの考えでは、通常の文における「フォスフォラス」の意義です。ということは、信念文における「フォスフォラス」の意義とは、その指示対象の提示のされ方、すなわち、通常の文における「フォスフォラス」の意義の提示のされ方ということになります。いわば、意義の意義です。ね、何がなんだか、分からないでしょう?

この分からなさは、「信じる」を繰り返し使う文において、さらに際立ってきます。例えば「太郎は、花子がフォスフォラスに生物がいると信じている、と信じている」という文を考えることができます。花子の信念のあり方についての太郎の信念です。「信じている」を繰り返し使うと不自然な日本語になるので、もう少し自然な日本語にして、「太郎の考えでは、花子はフォスフォラスに生物がいると信じているようだ」としてもいいでしょう。これを「二階建ての信念文」と呼ぶことにしましょう。さっきまで考えていた信念文は一階建ての信念文です。で、二階建ての信念文における「フォスフォラス」の指示対象は一階建ての信念文における「フォスフォラス」の意義、すなわち、通常の文における「フォスフォラス」の意義の意義です。ですから、二階建ての信念文における「フォスフォラス」の意義は、通常の文における「フォスフォラス」の意義の意義の意義ということになります。あはは。いや、虚ろな笑いになってしまいました。
というわけで、このあたり、フレーゲ先生ごめんなさい。私はついていけません。

### フレーゲ的枠組

第二章からここまで、フレーゲの考え方を見てきました。ここで振り返っておきましょう。言語哲学においてフレーゲ的枠組として取り出されるものは、文脈原理と合成原理の提唱、そして固有名、述語、文に対して指示対象と意義という二つの意味の側面を認めることです。

> フレーゲ的枠組
> 文脈原理と合成原理の提唱
> 固有名、述語、文は、指示対象と意義という二つの意味の側面をもつ

この枠組の核心にあるのは、言葉と世界の基本的関係を文の真偽としたところだと、私は考えています。文がある事実のもとで真ないし偽になる。言葉の意味について考えていくときの

足場をここに置きます。この精神は、意味の基盤を心の中に求めようとする一般観念説のような考え方と比べて、言葉の意味を可能なかぎり白日の下に晒そうとするものだと言えるでしょう。「猫が寝ている」という文がいま目の前の事実のもとで真なのか偽なのか、私たちはそれを客観的に判断できます。

文の真偽との関係で、固有名と述語の意味が決まる。これが文脈原理です。そして固有名の指示対象は個体、述語の指示対象は命題関数(個体から真偽への関数)とされました。

さらに、新たな意味の産出可能性の問題に答えるために、「文を構成する語の意味が決まれば文の意味は決まる」とする合成原理も提唱されます。

合成原理に従えば、固有名の指示対象が個体、述語の指示対象が命題関数だとすると、文の指示対象は〈真〉ないし〈偽〉となります。ここに、指示対象という外延的意味に加えて意義という内包的意味を考える必要が生じます。その言葉が「何を」指示しているかだけでなく、「いかに」指示しているかも、言葉の意味に関わっているというわけです。そして文の意義はそれがどのようにして〈真〉ないし〈偽〉となるのか、つまりその文の真理条件とされます。それに応じて、述語にも、その命題関数がどのようにして〈真〉ないし〈偽〉を出力するのかという意義の側面が認められます。また、固有名に対しても、その指示対象である個体が提示される仕方として、意義が考えられます。

しかし、とりわけ固有名の意義ということには納得しがたいものがあります。だけど、固有名に意義を認めないと、固有名と述語の意義が決まれば文の意義が決まるとする、意義の合成原理が成り立たないことになります。そこでフレーゲは、同一性を主張する文と信念文を取り上げて、固有名にも意義があるのだとする議論を出したのでした。

さあ、どうでしょう。フレーゲは全部まちがっているのか(そんなことはないでしょう)、全部正しいのか(これも、そんなことはなさそうに思えます)、どこまで受け入れられるのか。そのもやもやを抱えたまま、次の章では、フレーゲ的枠組とはまったく違う考え方をしたラッセルの考えを見ることにしましょう。

# 第四章　指示だけで突き進む

フレーゲは、「語の意味は文の意味以前に確定する」と考える要素主義を批判して、「文の意味との関係においてのみ語の意味は決まる」とする文脈原理を提唱し、また指示対象という外延的側面だけではなく、意義という内包的側面も考えなければいけないと論じました。ところが、ラッセルは文脈原理を拒否して平然と要素主義的に考え、また、意義という側面を認めず指示対象だけで言葉の意味を捉えようとします。まるでロックの言語観に逆戻りしたかのようですが、しかし、一般観念説を提唱するわけではありません。

ラッセルの考えは変化し、進化していきますから、これからの話も、いわばラッセルの言語哲学の第一形態から始まって、第二形態へと進み、そして第三形態に至るまでを見ていくことになります。私たちは、常識に囚われずにとことん突き進む透徹した知性を目の当たりにするでしょう。それはそれだけでも見ものです。正直に言って私は、第三形態のラッセルはあまりにも奇矯で、キテレツな「珍品」という感想しかもっていませんでした。しかし、いまはラッセルの考えの中に生き延びていく力のようなものを感じています。それが何なのかはっきりしないのがもどかしいのですが、でも、できるだけラッセルの考えに説得力をもたせるよう、ここでも哲学史的にというよりは、ある程度再構成しながら語っていくことにします。

## １　日本の初代大統領は存在する？

### 指示対象が存在しない固有名は無意味か

固有名についての問題から考えていきましょう。

例えばある人が「安倍川きな子さんは甘いものが大好きなんだ」と言ったとします。あなたは「安倍川きな子」って誰よ、と尋ねます。すると、「いや、そんな人はいないんだけどね」と答えが返ってくる。あなたはなんだそりゃと思うでしょう。「安倍川きな子」が固有名として使われているにもかかわらず、そんな人物はいないというのであれば、その固有名は無意味だと言いたくなります。まず、ここが第一の問題です。

> 問題　指示対象をもたない固有名は無意味か？

ただし、フィクションに登場する固有名はここでは考えません。例えば、『ドラえもん』に登場する「野比のび太」の指示対象は存在するのか。存在するとしたらそれは何か。虚構の語り方に関する問題は、それ自体が言語哲学の大きな問題です。でも、ここではあくまでも現実世界について語った文の中に現われる固有名について考えることにします。

指示対象が存在しない固有名の例として、「バルカン」というのがあります。一九世紀に、水星よりも内側に太陽系の惑星が存在すると考えられて、「バルカン」と名前がつけられました。でも、現在ではそんな星はないとされています。だとすると、「バルカンは地球よりも小さい」といった文は無意味ではないでしょうか。いや、まちがってるんだから偽なんじゃないか。どう思います?

ここで、無意味と偽を区別してください。いま問題にしている文の形は、疑問文や命令文を除いた平叙文です。目下の議論に即してもう少し限定しておけば、固有名、述語、そして論理語(「ではない」、「かつ」、「または」、「ならば」、「すべて」、「ある」など)からなる文を考えています。それは世界のあり方について述べたものと考えられますから、世界のあり方を正しく捉えていれば真で、そうでなければ偽となります。(曖昧な場合は真と偽の中間でしょうが、話がややこしくなるので、曖昧な場合は考えないでおきます。)だけど、そもそも真偽が言えないということもあります。それが無意味な場合です。偽というのは、あくまでも有意味だから偽と言えるわけです。

- 平叙文
  - 有意味
    - 真
    - 偽
  - 無意味

では、「バルカンは地球よりも小さい」は無意味でしょうか、偽でしょうか。

一般に、ある文が偽だったらその否定が真になります。「バルカンは地球よりも小さい」が偽なら、その否定「バルカンは地球よりも小さくない」が真です。だけど、それもおかしいでしょう。そもそもバルカンという存在しない星と地球の大きさを比較することがナンセンスです。ですから、「バルカンは地球よりも小さい」は偽ではなくて、無意味とされるべきで、それはつまり、「バルカン」という固有名が無意味だからだと思われます。

ただし、「バルカン」は固有名じゃないんだと考えるなら、話は別です。ここではあくまでも「バルカン」は固有名だとして、なのに指示対象がない、だったら無意味だ、ということです。いや、あのですね、第三形態のラッセルは「バルカン」は固有名じゃないと言い出すんです。だけど、第三形態のラッセルにはまだしばらく引っ込んでいてもらいましょう。

## 「日本の初代大統領」という表現は無意味か?

指示対象をもたない固有名は無意味だという考えはかなりもっともらしいのですが、そのとき、「初代内閣総理大臣」のような表現も同じように考えるべきかが問題になります。フレーゲはこうした表現も個体を指示する表現であるとして「固有名」と呼びました。ここではフレーゲとはちょっと距離をとって、「固有名」という呼び名は「伊藤博文」のような日常言語でふつうに固有名とみなされる語だけにして、「初代内閣総理大臣」のような表現を固有名と呼ぶことはやめておきます。そのかわり、個体を指示する表現をここでは「個体指示語」と呼ぶことにしましょう。[★16] 固有名が個体指示語だということに問題はありません。問題にしたいのは、固有名だけが個体指示語なのか、ということです。フレーゲは「初代内閣総理大臣」といった表現も個体指示語とみなした(だからフレーゲはそれを「固有名」と呼んだ)わけですが、本当にそれでよいのでしょうか。

個体指示語だとすると、固有名の場合のように、指示対象をもたない場合には無意味だということになります。では、例えば「日本の初代大統領」はどうでしょう。書きまちがいではなくて、ええ、大統領、日本の。もちろんそんなの存在しません。ならば「日本の初代大統領」という表現は無意味になるのでしょうか。でも、「日本の初代大統領なんていないよ」と言えるのも、「日本の初代大統領」という表現の意味が分かるからではないでしょうか。

ここには二つの問題があります。ひとつは「初代内閣総理大臣」や「日本の初代大統領」は個体指示語なのかという問題。そしてもうひとつは、指示対象をもたない個体指示語は無意味なのかという問題です。

> 問題　「初代内閣総理大臣」や「日本の初代大統領」は個体指示語なのか?

> 問題　指示対象をもたない個体指示語は無意味なのか?

フレーゲが「初代内閣総理大臣」や「日本の初代大統領」といった表現を個体指示語だと考

えたことはすでに述べましたが、第一形態のラッセルも、こうした表現は個体指示語だと考えました。だけど、これに対しては違和感をもつ人もいるかもしれません。ちなみに、「初代」を外してたんに「内閣総理大臣」だと、個体を指示する表現ではありません。特定の人物を指しているわけではないですから。しかし「初代」とつくと、特定の人物を指示していると言いたくなります。実は、第二形態のラッセルはそれを否定するのですが、いまはフレーゲと第一形態のラッセルになるべく寄り添ってみましょう。「初代内閣総理大臣」を個体を指示する表現とみなす直感が強いほど、後で第二形態のラッセルがそれを否定することの驚きが増すというものです。

この点についてはフレーゲを説明するときにすでに述べていますので、繰り返しになりますが、もう一度述べておきましょう。例えば、「伊藤博文」という名前を忘れてしまったか、そもそも初代内閣総理大臣が伊藤博文だと知らない人でも、あの人物について「初代の内閣総理大臣はかなり好色だったらしいね」と言うことはできます。私なんかどんどん固有名が思い出せなくなっていて、「ほら、法政大学の学長だった女性で、よく和服着て出てくる人」とか言っています。こういう場合、やっぱり「初代内閣総理大臣」は「伊藤博文」と同様に特定の人物を指示する言葉として用いられているように思われます。

そうだとすると、「日本の初代大統領」は指示対象が存在しない個体指示語ということになります。ということは、「日本の初代大統領」という表現は無意味だということです。でも、どうもこの表現は無意味とは言い難いという直感もあります。少なくとも私は、「日本の初代大統領」ってまちがってるけど意味は分かるよねと言いたくなります。そして、フレーゲも第一形態のラッセルもその直感を共有しました。しかし、そこから先は答えが分かれます。いまフレーゲと第一形態のラッセルが直面している問題はこうです。次の①—③をすべて認めたいのだけれど、このままでは矛盾してしまう。どうすればよいのか。

①　指示対象をもたない個体指示語は無意味である。
②「日本の初代大統領」という表現は個体指示語である。
③「日本の初代大統領」という表現は有意味である。

フレーゲとラッセルの解答を見ましょう。採点してみてください。

**フレーゲの解答**

フレーゲは、意味に指示対象という外延的側面と意義という内包的側面を考えます。そこで、「日本の初代大統領」には指示対象はないけれども、意義はあるのだと論じるのです。私たちが「日本の初代大統領」という表現を無意味ではないと感じるのは、その表現の意義を理解しているからだ、というわけです。

これは個体指示語の意味に意義という内包的側面を認めるフレーゲの考え方の利点を示しているように見えるかもしれません。ところが、指示対象はないが意義はあるとする解答は、実はフレーゲにとって(フレーゲ自身はそんなに深刻に考えていなかったようですが)彼の議論の根幹を揺るがすようなことなのです。

言葉と世界の基本的関係は文の真偽にある。ここに、フレーゲの議論の核心があります。そして文脈原理に従えば、固有名と述語の指示対象は文の真偽との関係で決まります。こうして指示対象のレベルで言語が世界に錨を下ろしているからこそ、「どのようにして世界と関わっているのか」という意義のレベルが考えられるのです。だから、指示対象なんかなくたって意義だけはあるぞと言ってしまうと、世界に下ろした錨を断ち切ってしまうことになります。そもそも意義というまだその正体がよく分からないものを、でも指示対象だけじゃだめだから意義という内包的側面も考えるべきだとフレーゲが議論できたのも、指示対象のレベルで、固有名の指示対象は個体、述語の指示対象は命題関数、文の指示対象は〈真〉ないし〈偽〉と、明快な答えを示せていたからです。ですから、フレーゲ的枠組に立つとしても、指示対象はないけれど意義はあるとする解決策はあまり歓迎できません。

## ラッセルの解答

それに対してラッセルは一貫して意義という側面を認めませんでした。「日本の初代大統領」という表現に対しても指示対象だけを考えます。じゃあ、「日本の初代大統領」は指示対象がないんだから無意味なのか。でも無意味とは思えないし、ラッセルもこれは無意味じゃないと考えたっていうじゃないか。ええ、その通りです。ラッセルは、理詰めで考えてこれしかないと思ったら、それがどれほど非常識でもひるみません。「日本の初代大統領」は個体指示語です。その意味は指示対象であり、意義のようなものは考えません。そして「日本の初代大統領」という表現は有意味です。とすれば、答えはひとつ。「日本の初代大統領」という表現は指示対象をもつのです。

注意しますが、これはあくまでも第一形態で、ラッセルが終生もち続けた考えではありません。でも、まずはこう考えたのです。つまり、〈日本の初代大統領〉は存在する。

存在するって、だって、いないじゃん、という声が聞こえそうです。私もそう言いたくなります。きっと、ラッセルがここで考えている世界は、生身の人間たちが生きている現実よりもはるかに広く豊かなものなのでしょう。それは私たちの思考が拓く世界なのかもしれません。かくして、個体指示語が有意味であるとき、その指示対象は存在するとされます。例えば、ラッセルは生涯で四回結婚しましたが、ラッセルの世界には〈ラッセルの五番目の奥さん〉も存在します。〈ラッセルの百番目の奥さん〉だって存在します。〈水星より内側にあって太陽に最も近い惑星〉も存在します。〈野矢茂樹が二〇二二年開催のオリンピックにおけるマラソンで獲得した金メダル〉も存在するのです。実に気前のいい存在論です。

これがラッセルの第一形態です。しかし、この解答に何か利点があるのでしょうか。「富士山」という固有名の意味を尋ねられたら、富士山を見せて「これが富士山だ」と教えるのが一番ダイレクトな教え方でしょう。「伊藤博文」の場合には直接伊藤博文に会わせることはできませんから、写真を見せるなりして、「この人が伊藤博文だ」と教えることになります。個体指示語の意味がその語の指示対象だとすると、ある個体指示語の意味を尋ねられたときには、その語の指示対象をなんらかの仕方で指示して、「これが××だ」と教えることになるわけですが、「日本の初代大統領」の場合には何をどう指示すればよいのでしょうか。

第一形態のラッセルは〈日本の初代大統領〉は存在すると言いますが、リアルに存在するわけではありませんから、実際に指差しなどで指示することはできません。「これが日本の初代大統領だ」と教えようとしても、「これ」で指示できるものなどありはしません。なんでもかんでも存在するラッセルの世界は、そのほとんどが「これ」と言って指示することのできない指示対象ばかりなのです。〈ラッセルの五番目の奥さん〉は現実には存在しませんから、「これがラッセルの五番目の奥さんだ」と言っても、どれがそうなのか、誰にも分かりません。第一形態のラッセルの解答を読んだ私の感想は、「よくもまあ」とその突き抜けた答えに感嘆しつつも、「役に立たねー」でした。

## 2　記述理論

### 定冠詞 “the” の意味

ラッセルがこのなんでもかんでも存在するとみなす考えを捨てるに至った経緯についての詳細は省略します[★17]。ただ、論理学との関係だけは押さえておきましょう。フレーゲが現代論理学を切り拓いていったことは先にも述べましたが、もう一人の立役者がラッセルでした。フレーゲのところ（六九—七一ページ）で説明したことを思い出してください。いや、ごめんなさい、忘れててもいいです。もう一度書きます。現代論理学の書き方に従うと、「猫はよく寝る」はすべての猫についてよく寝るという意味ですから、〈すべてのxに対して、xが猫であるならば、xはよく寝る〉という意味になります。また、「猫が寝ている」はすべての猫ではなくて、そういう猫がいるということですから、〈あるxが存在して、xは猫であり、かつ、xは寝ている〉

という意味になります。

このように、フレーゲとラッセルが作った論理学の体系では、「すべて」と「ある(存在する)」という論理語が中心的役割を果たします。英語では“all”と“some”です。そこでラッセルは“all”と“some”の論理を考えていくわけですが、ここにフレーゲにはなかった洞察が加わります。定冠詞“the”も“all”と“some”に並ぶ論理語なのではないか。“all prime ministers of Japan”とあれば内閣総理大臣のすべてについて述べたものとなり、“some prime ministers of Japan”とあればしかじかのような内閣総理大臣がいる(存在する)ということになります。では“the first prime minister of Japan”という表現はどうでしょう。ここで定冠詞“the”は、この句がただ一つの対象を表わすことを示しています。だとすると、これも“all”や“some”と同じような扱いができるのではないか。

この洞察が、なんでもありの野放図な存在論を撤回させる力になるのです。

### もうなんでもかんでも存在すると言わなくていい

日本語には“the”のような冠詞はありませんから、「初代内閣総理大臣」が特定の一人を表わしているということは見た目では分かりません。そこで、議論を見やすくするため、不細工ですが、日本語にも「ザ」という言葉を導入しましょう。「ザ・初代内閣総理大臣」と書いて、それがただ一つの対象を表わす表現であることを示すことにします。そして、この「ザ」を「すべて」とか「ある(存在する)」という論理語と同じように扱おうというわけです。

現代論理学に従うと、「すべての猫はよく寝る」という文は〈xは猫だ〉と〈xはよく寝る〉という二つの命題関数を用いて分析されます。この文において「猫」は主語ではなく述語として捉えられるということ、ここがポイントです。同様に、「ザ・初代内閣総理大臣は好色だ」という文も、〈xは初代内閣総理大臣だ〉と〈xは好色だ〉という二つの命題関数を用いて分析します。そのとき、「初代内閣総理大臣」は主語ではなく、〈xは初代内閣総理大臣だ〉という命題関数を用いて読み替えられます。

「ザ」はただ一つの対象を表わしているので、「ザ・初代内閣総理大臣は好色だ」は「あるxがただ一つ存在し、xは初代内閣総理大臣であり、かつ、xは好色だ」と分析されることになります。論理学としては「ただ一つ存在する」というところはもう少し分析できますが[★18]、細かいことは気にしなくてかまいません。ポイントは、「ザ・初代内閣総理大臣」を個体指示語として捉えるのではなく、命題関数を用いて、全体を「ただ一つ存在する」という趣旨の文に読み替えたところです。

このように捉え直すと、どうなるか。もうなんでもかんでも存在すると言わなくてよくなるのです。どうして？　だって、ほら、個体指示語だったらあれですけど、命題関数だということとになれば、うん、ちょっと考えてみてください。

問題の「日本の初代大統領」という表現について考えてみましょう。第一形態のラッセルの考えはこうでした。

②「日本の初代大統領」という表現は個体指示語である。
③「日本の初代大統領」という表現は有意味である。
④語の意味はその語の指示対象である。
それゆえ、
⑤「日本の初代大統領」は指示対象をもつ。

というわけで〈日本の初代大統領〉は存在するとされました。いま、③と④は保持されます。却下されるのは②です。「日本の初代大統領」は英語では"the first president of Japan"で、定冠詞"the"がつきます。いま、和洋折衷的な日本語で「ザ・日本の初代大統領」と書くことにしました。第二形態のラッセルはこの「ザ」をただ一つの存在を表わす論理語として捉えます。すると、例えば「ザ・日本の初代大統領は好色だ」は次のように分析されます。

ザ・日本の初代大統領は好色だ。

⇔

あるxがただ一つ存在し、xは日本の初代大統領であり、かつ、xは好色だ。

このように分析されると、「日本の初代大統領が存在する」というのは偽ですから、この文は全体として偽ということになります。無意味だったら、そもそも真とか偽とか言えません。だから、偽ということは、この文は有意味だということです。つまり、目下の分析に従うと、「ザ・日本の初代大統領は好色だ」は偽となり、したがって有意味とされます。

しかも、どうしてこの文が偽になるかというと、〈xは日本の初代大統領だ〉という命題関数に当てはまる対象が存在しないからです。ここには、〈日本の初代大統領〉が存在するなどという非常識な考えは含まれていません。仕掛けは、「ザ・日本の初代大統領」という表現を個体指示語ではなく、「……は日本の初代大統領だ」という述語を用いた文として分析したことにあります。個体指示語だったら〈日本の初代大統領〉が存在するとしなければなりません。だけど、〈xは日本の初代大統領だ〉という命題関数を用いた仕方で分析されるのであれば、その命題関数に当てはまるものがないとしても、「日本の初代大統領」という表現が無意味になることはありません。命題関数なら、当てはまるものがなくとも無意味にはなりません。例えば、〈xは海抜一万メートルを超える山だ〉という命題関数には当てはまるものがありませんが、だからといって無意味ではありません。実際、「富士山は海抜一万メートルを超える山だ」は無意味ではなく、偽です。同様に、「伊藤博文は日本の初代大統領だ」は無意味ではなく、偽だと考えられます。これが、さっき私が「個体指示語だったらあれですけど、命題関数だということになれば……モニョモニョ」と言ったことです。

### 確定記述と記述理論

以上がラッセルの第二形態です。少し議論を整理して、「確定記述」と「記述理論」という用語を紹介しておきましょう。

フレーゲは「伊藤博文」も「初代内閣総理大臣」も「固有名」と呼びました。だけど、いま見ている第二形態のラッセルは、「伊藤博文」のような語と「初代内閣総理大臣」のような表現をはっきり区別します。「伊藤博文」は固有名でいいのですが（第三形態ではここも崩されていきます）、「初代内閣総理大臣」はいまや個体指示語とはみなされません。そこでこのような、ただ一つの対象を表わすけれども個体指示語ではない表現は「確定記述」と呼ばれます。「地球」は固有名で、「太陽系第三惑星」は確定記述です。あるいは「富士山」は固有名で「日本で一番高い山」は確定記述です。

そして確定記述を用いた文は、命題関数を用いて、その命題関数に当てはまるものがただ一つ存在することを主張する文に読み替えられます。このように読み替えることができるとする主張は「記述理論」と呼ばれます。

記述理論　確定記述を用いた文は、命題関数を用いて、その命題関数に当てはまるものがただ一つ存在することを主張する文に読み替えることができる。

こうやって一般的に書くと、なんだか分かりにくいですね。もうひとつ「水星より内側にあって太陽に最も近い惑星は地球より小さい」という例を見ておきましょう。これは先に出したバルカンの例で、「バルカン」は固有名ですが、「水星より内側にあって太陽に最も近い惑星」は確定記述です。そこで、この確定記述を用いた文を読み替えるために、〈x は水星より内側にあって太陽に最も近い惑星だ〉という命題関数を使います。これはかなり複雑な命題関数ですから、もっと単純な命題関数の組み合わせとして表わせるでしょうが、いまそこはポイントではないので、このままで行きます。

記述理論に従えば、「水星より内側にあって太陽に最も近い惑星は地球より小さい」という文は、〈xは水星より内側にあって太陽に最も近い惑星だ〉という命題関数に当てはまるものがただ一つ存在することを主張する文に読み替え可能とされます。つまり、こうです。(もう「ザ」はつけませんが、確定記述には「ザ」がついていると思ってください。)

水星より内側にあって太陽に最も近い惑星は地球より小さい。

⇔

あるxがただ一つ存在し、xは水星より内側にあって太陽に最も近い惑星であり、かつ、xは地球より小さい。

ラッセルは、意義という内包的側面を認めず、語の意味はその語の指示対象であると一貫して考え続けましたから、「水星より内側にあって太陽に最も近い惑星」を個体指示語だと考えるならば、この表現の指示対象である〈水星より内側にあって太陽に最も近い惑星〉は存在するとしなければなりません。しかし、個体指示語ではなく、それを記述理論に従って読み替えるならば、〈xは水星より内側にあって太陽に最も近い惑星だ〉という命題関数に当てはまるものはこの現実世界には存在しませんから、「水星より内側にあって太陽に最も近い惑星は地球より小さい」は偽です。偽ということは有意味ということです。かくして、〈水星より内側にあって太陽に最も近い惑星〉なんてものの存在を認めなくとも、「水星より内側にあって太陽に最も近い惑星」が意味をもつことを説明できるようになったわけです。

これがどれほどラッセルを喜ばせたか。現代論理学を開拓しているという興奮と相まって、かつての自分が陥っていたなんでもかんでも存在するとしてしまう存在論的な重荷から解放された知的歓喜。だけど、おそらく最も大きな喜びだったのは、そしてラッセル以外の哲学者にも驚きとともに受け入れられたのは、存在論、すなわち何が存在するのかという哲学の深奥にある問題に対して、現代論理学を取り入れた言語分析によって解答を与えたこと、この哲学史に類例を見ない手法の開拓という点にあったのだと思われます。哲学の理論がまったく異論の余地なく受け入れられることなど、まずありません。記述理論もまたさらなる問題に直面していきます。ここではもうそうした問題には踏み込みませんが、しかし、記述理論自体が完成されたものではないとしても、こんなやり方で存在論にアプローチできるのだということは、真に画期的なことだったのです。

## 3　本当の固有名

### 同一性問題と信念文の問題への応答

記述理論が受け入れられたとしても、ラッセルの言語哲学はまだ道半ばです。だって、ラッセルは指示対象だけで言葉の意味を考えていこうとしているのですから、そりゃあたいへんです。言語という巨大で複雑なものを解明するのに、フレーゲは指示対象と意義という二本立てでやろうとしたわけですが、ラッセルは意義という側面を認めず指示対象一本鎗です。道具立てが少ない方が苦難の道になるのは当然のことで、そのかわり、それでやり遂げようとする哲学者の腕の見せどころともなり、観ている方としては楽しくもあります。

固有名、述語、そして文に対して、本当に指示対象だけで説明ができるのか。とくに文の指示対象ときたら、フレーゲの議論に従うと〈真〉か〈偽〉の二通りしかなくなってしまいます。じゃあ、ラッセルは指示対象だけでどうやって言葉の意味を捉えていくのか。

固有名から見ていきましょう。固有名なら指示対象だけで行けそうにも思えるかもしれませんが、いや、なかなかすごいことになっていくのです。もう少し進むと、この先に第三形態のラッセルが姿を現わします。

問題は、固有名にも意義という内包的側面を認めるべきと論じたフレーゲの議論をどう受け止めるかです。簡単におさらいしておきましょう。まず同一性を主張する文の問題から。「初代内閣総理大臣と伊藤博文は同じ人物だ」という文を考えます。ここで、フレーゲに従って「初代内閣総理大臣」も個体指示語だと考えるならば、それは「伊藤博文」の指示対象と同じです。なので、もし個体指示語の意味はその指示対象だけで完全に決まると考えるなら、「初代内閣総理大臣」と「伊藤博文」はまったく同じ意味になります。同じ意味だったら、「初代内閣総理大臣」を「伊藤博文」で置き換えても文全体の意味は変わらないはずです。

でも、置き換えた結果の「伊藤博文と伊藤博文は同じ人物だ」は、「初代内閣総理大臣と伊藤博文は同じ人物だ」と同じ意味には思えません。フレーゲの言い方では、認識価値が違います。それゆえ、こうした個体指示語の意味には指示対象という外延的側面だけでなく、意義という内包的側面もなければならない。これがフレーゲの議論でした。

記述理論はこの問題に対して、意義に訴えない解答を与えることができます。というのも、フレーゲと異なり、第二形態以後のラッセルはそもそも「初代内閣総理大臣」のような表現を個体指示語とは考えないからです。このような表現は確定記述であり、記述理論によって書き替えることができます。

初代内閣総理大臣と伊藤博文は同一人物だ。

⇔

あるxがただ一つ存在し、xは初代内閣総理大臣であり、かつ、xと伊藤博文は同一人物だ。

こういう論理学っぽい表現に慣れていない人には読みとりにくいかもしれませんが、つまり、〈xは初代内閣総理大臣だ〉という命題関数に当てはまる人がただ一人いると言って、さらにその人は伊藤博文と同一人物だと主張しているわけです。これは明らかに「伊藤博文は伊藤博文だ」という文とは意味が違いますし、認識価値ももっています。そしてポイントは、記述理論によって読み替えられた意味では、意義を持ち出す必要がないということです。読み替えた後の文を見て、その点を確認してみてください。

「伊藤博文」という固有名は〈伊藤博文〉という人物を指示します。そしてフレーゲが個体指示語だとみなした「初代内閣総理大臣」は〈xは初代内閣総理大臣だ〉という命題関数を用い

て読み替えられます。命題関数ですから、個体を入力して真偽が出力される。〈伊藤博文〉を入力すれば真ですし、〈夏目漱石〉を入れれば偽です。ここではすべて外延的に捉えられていて、意義のような内包的側面の出番はありません。

これと同じようにして、信念文の問題にも答えることができます。フレーゲの議論はこうでした。「太郎は初代内閣総理大臣が暗殺されたと信じている」の真偽と「太郎は伊藤博文が暗殺されたと信じている」の真偽は必ずしも一致しません。太郎は初代内閣総理大臣と伊藤博文が同一人物だとは思っていないかもしれませんから。そこでフレーゲは「太郎は初代内閣総理大臣が暗殺されたと信じている」という信念文の中では個体指示語は「初代内閣総理大臣が暗殺された」という文における「初代内閣総理大臣」という語の意義を指示対象にもつのだ、と論じたわけです。ここのところはなかなか理解しにくいところでしょうが、いまはフレーゲの議論の復習はやめておいて、ラッセルの解答を見ましょう。

記述理論に従えば、「初代内閣総理大臣は暗殺された」は「ある x がただ一つ存在し、x は初代内閣総理大臣であり、かつ、x は暗殺された」と読み替えられます。ここには〈伊藤博文〉という特定の人物を指示する表現は含まれていません。ですから、太郎が「初代内閣総理大臣という記述に当てはまる人物がただ一人いて、かつ、その人は暗殺されたのだ」と信じているとして、だけど「伊藤博文は暗殺された」とは信じていないとしても、別に不思議ではありません。そしてこのことを説明するのに意義のようなものを持ち出す必要はなく、「伊藤博文」という固有名の意味はその指示対象である〈伊藤博文〉であって、「……は初代内閣総理大臣だ」という述語の指示対象は〈xは初代内閣総理大臣だ〉という命題関数であるとすれば、それでオーケーです。

どうでしょう。おみごと！　と言いたいところですが、そうはね、問屋さんがね、卸してくれないのですよ。何かこれじゃあ足りないぞ、と、思いませんか？

フレーゲが提起していた問題はこういうタイプのものだけではありませんでした。「フォスフォラス」と「ヘスペラス」（あるいは「菅生大将」と「萱田将暉」）という例の場合、「初代内閣総理大臣」のような確定記述は含まれていません。ですから、記述理論では扱えないように思えます。

ラッセルがここで直面している問題を確認しましょう。ラッセルは意味に意義という内包的側面を認めず、指示対象だけで考えます。そこで「フォスフォラス」の指示対象は〈金星〉という星であり、「ヘスペラス」の指示対象も同じく〈金星〉という星だとします。するとある語をそれと意味が同じ別の語で置き換えても文全体の意味は変わらないでしょうから、「フォスフォラス」を用いた文の「フォスフォラス」を「ヘスペラス」に変えても文全体の意味は変わらないはずです。ところが、これまで見てきたように同一性を主張する文の場合と信念文の場合にはそうならないように思われるのです。

「初代内閣総理大臣」の場合には、これを固有名のような個体指示語とはみなさないで、〈xは初代内閣総理大臣だ〉という命題関数を含むものとして読み替えました。つまり、記述理論が使えました。しかし、「フォスフォラス」も「ヘスペラス」も固有名です。記述理論は確定記述に対する理論ですから、固有名に対しては使えません。では、どうすればよいのか。

### それは本当に固有名なのか

ラッセルはここでとんでもない手を繰り出します。第三形態のラッセル登場です。しかし、確かにそれはとんでもないのですが、私の予想では、読者の中にはいとも無邪気にラッセルの進んだ方向に向けて一歩を踏み出す人がいそうです。「無邪気に」と言ったら失礼でしょうか。では、「深い考えなしに」、いや、もっと失礼か。ともかく、わりと気楽にこう考えた人はいませんか？　「フォスフォラス」も〈xはフォスフォラスだ〉という命題関数を含むものとして読み替えられるんじゃないの、と。

そうだとすると、「フォスフォラスはヘスペラスと同じものだ」は「あるxがただ一つ存在し、xはフォスフォラスであり、かつ、xはヘスペラスだ」という文に読み替えることができます。これなら、「初代内閣総理大臣」のときと同じやり方で処理できたことになります。

だけど、このやり方はただちに難しい問題に突き当たります。「フォスフォラス」や「ヘスペラス」を述語として読み替えていくのであれば、これは私たちがふつうに固有名とみなしているすべての語に飛び火することになるでしょう。「伊藤博文」も「……は伊藤博文だ」という述語として、「富士山」も「……は富士山だ」という述語として分析されます。それでいいのでしょうか。

そして、〈xは伊藤博文だ〉、〈xは富士山だ〉と、固有名のすべてを命題関数として捉えてしまうと、xに入力するものがなくなってしまいます。命題関数に入力するものは個体です。では、個体を表わす言葉は何なのでしょう。私たちがふつうに固有名と認めている語のすべてが命題関数を意味するのであれば、個体を表わす言葉、本当の固有名は何なのでしょうか。

というわけで、この方向を「無邪気」とか「深い考えなし」とか「気楽に」と形容したわけですが、ラッセルは——もちろん深い考えをもって——この方向に進みます。しかし、この方向にはいま挙げた問題が立ちはだかっています。ラッセルはこれをどうクリアするのか。問題点を書き出しておきましょう。

**問題**　ふつうに固有名とされている語をすべて述語として読み替えるのであれば、個体を表わす本当の固有名は何なのか？

答えはこれから説明していきますが、まずこの問題を問題として受け止めてください。あるいは、「そうそう、本当の固有名、それを聞きたかったんだ」という人もいるでしょう。

ラッセルは、ふつうに固有名とされている語はすべて述語として読み替えられると主張します。より正確に言えば、ふつうに固有名とされている語はただ一つの対象に関わりますから、確定記述の内容をもつものとして捉え直されるわけです。つまり、「伊藤博文」や「富士山」は固有名だと思われているけれども、実はそうではないというわけです。

一見して説得力の感じられない考えです。正直言って私も納得しがたい気持ちです。でも、がんばってラッセルに寄り添ってみましょう。あなたは伊藤博文について何を知っていますか？ 実質的に「初代内閣総理大臣」という確定記述と同じことしか知らないという人もいるかもしれません。私の世代だと「かつての千円札に描かれていた人物」(一九八六年までの使用だそうです)とか。あるいはもう少し詳しい人だと「四回総理大臣に就任した」とか「ハルビンで暗殺された」といった記述も加わるかもしれません。知識の多さには差があるでしょうけれど、けっきょくこうした記述の束でしか捉えていないだろう、ラッセルはそう言うのです。そう言われるとあまり反論できません。なにしろ伊藤博文に会ったことなんかないわけですから。だとすれば、こうした記述の束、つまり伊藤博文について知っていることを列挙して、それに「ただ一つ存在する」ことを意味する「ザ」をつけて確定記述にしたものが、「伊藤博文」という語の実質だと言えそうにも思います。

でも、「富士山」は違います。私に関して言えば、実際に富士山に登ったこともありますし、その姿は遠目ですけど冬の晴れた日にはふつうに見ています。これを確定記述として捉えるのは無理じゃないでしょうか。いや、ラッセルはひるみません。いま向こうに特徴的な姿をしたあの山が見えているとしましょう。確かに私はそれを見ています。しかし、それが「富士山」であるということは、いま私に見えているかぎりのことを超えた知識です。山梨側から見た富士山と静岡側から見た富士山はけっこう違う形をしています。また、それと同じ姿かたちの山が仮にどこか外国にあったとしても、私たちはそれを見て「富士山と同じ形の山がある！」とびっくりするだけで、それを「富士山」とは呼ばないでしょう。富士山とは、あくまでも山梨県と静岡県にまたがる山のことです。だとすれば、いま向こうに見えている「あれ」が「富士山」なのではなくて、「あれ」を「富士山」と認定させる知識が「富士山」という語の意味なのではないでしょうか。つまり、「ザ・山梨県と静岡県にまたがる、現在日本で一番高い山」といった確定記述が「富士山」の実質的内容なのです。

ふーむ。だんだんそうかもしれないという気になってきたでしょうか。だけど、伊藤博文のような過去の人だとほんとは確定記述なんだと言われてもそうかなと思うけれども、よく知っている身近な人、実際にしょっちゅう会う人の場合はやっぱり固有名であって、確定記述とは思えない。そうですよね。私もそうです。でも、身近な人であっても「富士山」と同じではないか。ラッセルに後押しされながら、そう考えてみましょう。

いまあなたが目の前にしている親しい人の名前が「萩野月子」さんだとします。あなたはそのとき例えば彼女が正面に座って喋っている姿を見ています。だけど、「萩野月子」という固有名はその場面のその姿だけの名前ではありません。目の前のその姿を指して「これが萩野月子さんだ」と言っても、それだけが萩野月子さんというわけではない。あえて言えば「これ**も**萩野月子さんだ」ということになるでしょう。そうしたさまざまな場面でのさまざまな姿を萩野月子さんと認定するために、あなたは多くの知識をもっています（一九七九年生まれ、仙台出身、甘いもの好き、等々）。「萩野月子」という固有名の実質は、ある場面でのある姿を萩野月子さんと認定するための知識の全体なのではないか。その知識の全体をDとすると、「萩野月子」という固有名はけっきょくのところ、「Dを満たすものがただ一つある」として捉えることのできる「ザ・D」という確定記述なのではないでしょうか。

どうでしょうか。けっこう納得した人もいるかもしれませんし、なんだかなあと首を傾げている人もいそうです。でも、納得しなくてもいいです。別に私も説得しようと思って書いているわけではありませんから。ただ、ラッセルが誰も踏み入ったことのない思考を切り拓こうとしているのを見てほしいのです。

こうして、ふつうに固有名とされている語はすべて述語として読み替えられることになります。「伊藤博文」も「富士山」もあなたの身近な「萩野月子」さんも、ふつうに私たちが固有名としているものの実質は確定記述なのだというのです。

あ、なんか質問がたくさん。

**質問** 人によって、伊藤博文についてもっている知識って違いますよね。だとすると、「伊藤博文」の意味は人によって違うということになりますが、それでいいんですか？

ラッセルはそれでいいのだと言います。さらには、ひとがそれぞれ異なる意味をこめているからこそ、コミュニケーションは有益なものとなると強気なことさえ言います。[★19] 私としてはこの強気の発言には同意しかねますが、話し手は話し手の知識に基づいて「伊藤博文」の話をして、それを聞き手はそれぞれの知識に基づいて理解する。それで問題ないし、実際にそうしているじゃないかと言われれば、そうかなという気もしてきます。

**質問**　伊藤博文について明治時代の政治家という程度の知識しかもっていない場合は、「ただ一つ存在する」と言えるほどの確定的な知識にはならないんじゃないですか？

確かに、その知識だけを頼りに「伊藤博文」を確定記述として読み替えても、「ザ・明治時代の政治家」ぐらいしか言えません。だけど、明治時代の政治家なんてたくさんいますから、これでは誰のことか分かりません。ラッセルはどう考えていたんでしょうね。

ちょっとラッセルになりかわって考えてみましょう。明治時代の政治家というくらいしか知らずに「伊藤博文」という語を使っている場合には、その語を完璧に理解して使ってはいないと言えるんじゃないでしょうか。伊藤博文のことをよく知らない人が「伊藤博文」という語を使うとき、自分はその人物を特定する確定記述を取り出せないけれども、誰かもっと詳しい人が確定記述を示せると考えて、それを当てにしてその語を使うと言えるかもしれません。そういうことは一般名の場合にもふつうにあって、私なんか「ニレ」と「ブナ」の区別もつかないのに「白神山地にはブナの原生林が広がってるんだよね」とか言ったりします。分かる人には分かるからそれでいいんだという感じです。後にヒラリー・パトナムがこのように社会全体で言葉の意味理解を担っていることを「言語的分業」と言いましたが、「伊藤博文」のような名前に関しても社会における言語的分業が成り立っていると考えられます。

とはいえ、ひとつ前の質問への答えで述べたように(そしてこれから「本当の固有名」のところで見ていくように)ラッセルは言語の社会性に背を向けて進みますから、言語的分業みたいなことは言わないでしょう。(私自身は言語的分業というのはだいじな考え方だと思っています。私たちはかなり多くの場合に半端な理解で言葉を使っているでしょう。)

**質問** 例えば、「伊藤博文」に結びつけている確定記述が「ザ・初代内閣総理大臣」だったとします。そのとき、「伊藤博文は初代内閣総理大臣だ」という文は「ザ・初代内閣総理大臣は初代内閣総理大臣だ」になりますが、これ、同語反復で無内容じゃないですか?

同語反復ではないです。結論から言えば、「ザ・初代内閣総理大臣だ」は、「初代内閣総理大臣は唯一存在する」という意味になります。そうだとすると、このことから、内閣総理大臣という役職があったのだとか、初代内閣総理大臣は複数いたわけじゃないのだなといった程度のことは伝わりますから、それなりに内容はあるわけです。

少しややこしいですが説明しましょう。（ややこしいくせにたいした話じゃないので、この段落は飛ばしてくれてもかまいません。）記述理論に従うと「ザ・初代内閣総理大臣は初代内閣総理大臣だ」は〈xは初代内閣総理大臣だ〉という命題関数が繰り返されているので、「あるxがただ一つ存在し、xは初代内閣総理大臣であり、かつ、xは初代内閣総理大臣だ」という形になります。〈xは初代内閣総理大臣であり、かつ、xは初代内閣総理大臣だ〉はたんに同じことを繰り返しただけなので、〈xは初代内閣総理大臣だ〉という意味に等しい。ですから、「ザ・初代内閣総理大臣は初代内閣総理大臣だ」は「あるxがただ一つ存在し、xは初代内閣総理大臣だ」という意味、つまり「初代内閣総理大臣は唯一存在する」という意味になります。で、これはまったく無内容というわけではないので、「ザ・初代内閣総理大臣は初代内閣総理大臣だ」は同語反復ではありません。

とはいえ、「伊藤博文は初代内閣総理大臣だ」と「初代内閣総理大臣は唯一存在する」が同じ意味だと言えるかどうかは、議論の余地があるでしょう。

だけど、ふつうに固有名とされているものが実は確定記述なのだとすれば、固有名がなくなってしまいはしないでしょうか。そんなことになれば、命題関数に入力する個体を表わす表現がなくなってしまいます。命題関数に入力する個体は何なのか。そしてそれを表わす本当の固有名は何なのでしょうか。

## 固有名と述語

ここで固有名と述語の違いを押さえておきましょう。固有名の意味はその語の指示対象であり、ラッセルは意義のような側面を認めませんから、「バルカン」のように、固有名として使われた語に指示対象が存在しないと分かったならば、その語は無意味となります。他方、述語の指示対象は命題関数として捉えられますから、たとえその命題関数に当てはまるものがなかったとしても、無意味にはなりません。例えば「……は水星より内側にある太陽系の惑星である」という述語も、たんにそれに当てはまるものがないというだけで、無意味ではありません。ここに固有名と述語の大きな違いがあります。

ついでに述べておけば、このことはふつうに固有名と思われているものが実は確定記述なのだとするラッセルの議論を後押しするかもしれません。というのも、「バルカンは地球より小さい」という文は、「バルカン」が固有名だとすれば、そんな星は存在しないと分かったときには無意味とされますが、「バルカンは地球より小さい」は無意味とは言い切れないような直感もあるからです。「聖徳太子は遣隋使を派遣した」なんていう文も、もしかしたら「聖徳太子」という人物は存在しなかったかもしれないとしても、それでも無意味ではないという感じもあるでしょう。この直感を受け入れるとすれば、「バルカン」は実は固有名ではなく、「水星より内側にあって太陽に最も近い惑星」という確定記述なのだとする考えが魅力的になってきます。あるいは、「聖徳太子」が実は「十七条憲法を制定した人物」という確定記述だとすれば、仮に「聖徳太子」なる人物が存在しなかったとしても、「十七条憲法を制定した人物は遣隋使を派遣した」という文が意味をもつことはなんの問題もなく説明できます。

「これ」

さて、それでは本当の固有名は何なのか。実はそのヒントはすでに出ていました。「富士山」という語の実質は確定記述だというラッセルの考えを説明したときに、こんなふうに書きました。「いま向こうに見えている「あれ」が「富士山」なのではなくて、「あれ」を「富士山」と認定させる知識が「富士山」という語の意味なのではないでしょうか。」(一四五ページ) それから、こうも書いておきました。萩野月子さんというあなたにとって親しい人が目の前にいたとして、「「萩野月子」という固有名はその場面のその姿だけの名前ではありません。目の前のその姿を指して「これが萩野月子さんだ」と言っても、それだけが萩野月子さんというわけではない。あえて言えば「これも萩野月子さんだ」ということになるでしょう」(一四五ページ)、と。ここで「富士山」や「萩野月子」といった語が確定記述として捉え直されるとして、そのとき述語の主語になるものは何でしょうか。

先に書いた文章をいま繰り返しましたが、そこに出ていた「あれ」と「これ」という指示語に注目してください。目の前に萩野月子さんがいるとき、その姿を「これ」として指示する。何が指示されているのかと言えば、いま私に見えているその姿です。萩野月子という人物はその姿だけではなく、他の機会に出会われるさまざまな姿や、仙台出身であるといったさまざまな知識に関わっています。ですから、正確に言えば「これも萩野月子だ」となるでしょう。そこでいま私に見えているその姿を指示する語である「これ」、これが本当の固有名と言うべきなのではないか。ラッセルはその方向へと突き進んでいきます。

向こうに富士山が見える。しかし「富士山」という語は、いま私に見えているその姿だけではありません。これも正確に言えば「あれも富士山だ」と言うべきなのです。そこでいま私に見えているその姿を指示する「あれ」こそが、本当の固有名だというわけです。

とんでもない考えに思えます。私が先に、最初はキテレツな「珍品」としか思っていなかったと書いたのはこの考えのことで、こうしてラッセルの第三形態が姿を現わします。★20

固有名は指示対象が存在しなければ無意味になります。もし「バルカン」や「聖徳太子」が、その語の指示対象が存在しなくとも無意味ではないように思えるのであれば、それはつまり、「バルカン」や「聖徳太子」は本当の固有名ではないということです。それに対して、「これ」や「あれ」という指示語は指示対象がなければ無意味になります。何もないところを指示して「これ」とか「あれ」と言ったとしても、それは完璧に無内容です。このことは、本当の固有名は「これ」とか「あれ」という指示語なのだというラッセルの考えを支持する根拠のひとつともなるでしょう。

固有名の指示対象となるものが個体ですから、本当に個体と言えるのは「これ」とか「あれ」という指示語で指示されるものということになります。それは、「いま私に見えているかぎりのこれ」であり、「いま私に見えているかぎりのあれ」です。もちろん「見る」ことにかぎりません。「触る」、「聞く」、「嗅ぐ」、「味わう」、こうした仕方でいま私が直（じか）に経験しているもの、そしてその経験を超えたものをいっさい含まないもの、それが本当の個体です。いま私はコーヒーカップを見ています。私は「これはコーヒーカップだ」と判断しますが、それが「コーヒーカップ」だという判断はいま私が見ているものを超えています。これがコーヒーカップであるということは、厳密に言えば、ちゃんと底があってただの筒状のものではないこととか、飲み物を入れても溶けてしまわないとか、摑もうとしたら横から脚が出て逃げ出していったりしない(つまり、コーヒーカップに擬態した宇宙生物ではない)といったことを確かめる必要があります。そうしたことを確かめる前に「これ」と指示するのは、ですから、本当にいま私に見えているだけのこの姿です。

**質問** いま私に見えているものだけを指示するのだとすると、他人と私が同じものを指示することはできないということになってしまいませんか?

なりそうですね。いま私が経験しているものを「これ」と言って指示し、他人もそれと同じと思われるものを指して「これ」と言ったとき、厳密には私と他人で同じものを経験しているのではないと考えれば、私と他人とが「これ」で指示しているものは異なるということになるでしょう。さっきも少し述べたように、ラッセルは言語の社会的性格を考慮しないので、こんなふうに固有名の意味が個人によって異なり、しかも他人が「これ」で指示しているものを私は理解できないという帰結を大胆にも受け入れるのです。ほんとに、常識に囚われずに突っ走ることのできる知性にはあきれかえ……、いや、感嘆の念を禁じえません。ラッセル自身の言葉を引いてみましょう。

　このように考えてくると、本来の厳密に論理的な意味における名前の具体例を挙げることが、きわめて難しい問題になってきます。論理的な意味において名前として用いられる語というのは、ただ「これ」とか「あれ」といった語だけなのです。ある時点において、人がある個体を直に知っているとき、「これ」をその個体を表わす名前として用いることができます。われわれは「これは白い」と言うでしょう。あなたも「これは白い」に同意します。そのとき、あなたが「これ」であなたの見ているものを意味するのならば、「これ」は固有名として用いられています。しかし、私が「これは白い」と言うときに表現している命題をあなたが理解しようとしても、それは不可能です。あるいは、もしあなたが「これ」で物理的対象としてのこのチョークを意味しているのであれば、そのときの「これ」は固有名ではありません。「これ」が本当に固有名となるのは、「これ」がきわめて厳密に、現に生じている感覚を表わすのに用いられるときだけなのです。[★21]

言葉と世界とのつながりをラッセルは指示関係に見ています。そしてラッセルは要素主義的に考えますから、語の意味は文の意味以前に語だけで定まります。ですから、固有名と個体の指示関係が言葉と世界とのつながりの基本になります。この、言葉と世界の関係がどこで成り立つのかを追い詰めていくと、いま・私が経験しているものを「これ」とか「あれ」として指示することに行き着くというのです。

これほど過激な考えに対して即座に賛成するのは難しいでしょう。即座にじゃなくても、賛成するのは難しそうです。ただちに思いつく疑問はこうです。私が「これ」と言って目の前のものを指示したとき、それが何を指示しているのか他人には分からないとしたら、そんな言葉はコミュニケーションには使用できないのではないか。

次の二つの論点を区別しましょう。

(1)「これ」と「あれ」こそが本当の固有名である。

(2)「これ」や「あれ」の指示対象は物理的対象ではなく、いま私に生じている感覚である。

コミュニケーションを不可能にしてしまうのは、この第二の論点の方です。ラッセルは、「もしあなたが「これ」で物理的対象としてのこのチョークを意味しているのであれば、そのときの「これ」は固有名ではありません」と述べています。(この引用は連続講義の記録をもとにしたものなので、たぶんラッセルはこのとき実際にチョークを手にしていたのでしょう。）ここには、私たちは何を直接知りうるのかという哲学的問題があります。ラッセルはいま私が見ているものがチョークであることは直接知りうることではなく、推測に基づくと考えています。本当にそれがチョークであることを確かめるには、もっと観察したり使ってみたりすることが必要です。ですから、いま私に見えているものだけからこれはチョークだと判断するのは推測の域を出ない、とラッセルは考えます。ですが、細かい議論は省略しますが、私はそれがチョークであること、あるいはいま私が腰かけているのが椅子であること、ここにコーヒーカップがあること等々は、推測ではなく、直に見て知っていることだという、常識的な考え方を支持したいのです。そして、ラッセルが聴衆とともに見ている一本のチョークが「これ」という指示語の指示対象になりうるのであれば、私と他人が同じものを「これ」で指示することが可能でしょうから、「コミュニケーションに使えないじゃないか」という批判を受けることはなくなります。ですから、私としては、「これ」が指示する個体をいま私に生じている感覚とする第二の論点には同意する気になりません。

では、第一の論点はどうでしょうか。「伊藤博文」や「富士山」などのふつうに固有名と言われているものは実はすべて確定記述であって、本当の固有名は「これ」とか「あれ」だけなのだ、ラッセルはそう主張しています。こちらだけでも十分に過激です。正直に言って、私はこの議論にも諸手を挙げて賛成する気にはなりません。だけど、ここには何か受け取るべきだいじな考えがあるような気がするのです。

いま私たちは、固有名、述語、そして論理語からなる文を考えています。ラッセルの考えだと、固有名は「これ」と「あれ」だけです。それに若干の論理語が加わりますが、残りはすべて述語ということになります。つまり、世界を記述する言葉のほぼすべては述語なのです。日本語は動詞中心言語だと言われたりもします。主語を省略することも多いし、動詞の方に豊かな情報をこめる傾向があるので、そう言われるのかと思いますが、実際のところどうなのか、私にはよく分かりません。でも、名詞はものごとを固定して捉え、動詞はより流動的にものごとを捉えるということは言えるかもしれません。そしてもし私たちが動詞的にものごとを捉える傾向をもっているのだとすれば、ラッセルの考え方まで突き進むかどうかはともかく、述語中心で捉えていく考え方はなじみやすいと言えそうです。いや、勝手な与太話になってしまいました。妄言多謝。

## 本当の固有名を巡る問題と解答

少し振り返っておきましょう。ラッセルは意義という内包的な意味の側面を認めません。もちろん固有名の意義も認めない。そうすると、フレーゲが固有名にも意義を認めなければいけないとした二つの議論に答えなければなりません。ひとつは、「フォスフォラスとヘスペラスは同じものだ」と「フォスフォラスとフォスフォラスは同じものだ」の意味の違いをどう説明するのか、という問題。そして、もうひとつは、「花子はフォスフォラスに生物がいると信じている」と「花子はヘスペラスに生物がいると信じている」の意味の違いをどう説明するかという問題です。フレーゲは「フォスフォラス」と「ヘスペラス」の指示対象は同じ星なのだから、指示対象だけを考えていたのではこれらの意味の違いを説明することができないと論じ、意義という意味の内包的側面を提唱しました。

ラッセルは、しかし、あくまでも指示対象だけで考えようとします。そこでラッセルが出した答えが、「フォスフォラス」も「ヘスペラス」も固有名ではなく、確定記述なのだというものでした。そして「フォスフォラス」と「ヘスペラス」は異なる確定記述になりますから、同一性を主張する文の問題も信念文の問題もクリアできるというわけです。

そしてラッセルは、ふつうに固有名とされている語はすべて述語として読み替えられると主張します。「伊藤博文」も「富士山」も、あるいはあなたがよく知っている人物である（と想定された）「萩野月子」さんも、ふつうに固有名とみなされている語はすべて確定記述として捉え直されます。では、個体を表わす本当の固有名は何なのか。ラッセルは、「これ」と「あれ」こそが本当の固有名なのだと答えるのです。

## 4 文の意味と命題

### 文の指示対象

文の意味を考えましょう。フレーゲの議論では、文の指示対象は〈真〉ないし〈偽〉の二つになります。だから、文の意味に対しても意義という側面を考えなければいけないとされます。他方、ラッセルは意義という意味の側面を認めず指示対象だけで考えようとします。だとすると、文の意味は〈真〉と〈偽〉の二つだけということになるのでしょうか。さすがにその結論は受け入れられません。そこでラッセルは、文の指示対象は命題だと主張するのです。では、「命題」ということでラッセルは何を考えているのか。文の指示対象は何だと言いたいのか。それが問題です。

「ミケは猫だ」という文を考えましょう。それで、本当の固有名を「これ」と「あれ」だけにしてしまうと例文も作りにくいし、ややこしくなりますから、ラッセルにはご免こうむって、以下、私たちがふつうに固有名とみなしている語は固有名として扱うことにします。

固有名「ミケ」は個体〈ミケ〉を指示します。では、「……は猫だ」という述語の指示対象は何でしょうか。ラッセルはここでフレーゲとは異なる道を行きます。「……は猫だ」という述語は〈猫だ〉という性質を指示すると考えるのです。

**質問**　あれ、てことは、一般観念説ですか？

なんかそういう雰囲気は色濃く漂ってきますが、〈猫だ〉という性質は心の中に形成された観念ではなく、世界に実在するとされます。例えば〈赤い〉という性質は、目の前のリンゴ（熟した紅玉）がその具体例になります。私はそのリンゴに〈赤い〉という性質を見てとります。同様に〈猫だ〉という性質は、そこで寝ている我が家の猫（高齢の雑種）がその具体例となり、私はそこに〈猫だ〉という性質を見てとります。性質はこんなふうにあくまでも世界において存在するというのです。

**質問**　個別性と一般性のギャップの問題はどうなっちゃうんです？

世界で出会えるのは個別の対象だけなのに、「猫」のような一般名は個別の猫ではなく、猫一般を意味している。このギャップをどう埋めればいいのか、という問題ですね。これに対してロックは、個別の対象から一般観念を抽象すると応じました。だけどラッセルはそもそもこの問題を問題として認めていなかったと考えられます。というのも、「世界で出会えるのは個別の対象だけだ」ということを認めないからです。

どうしてそう考えられるのか、ラッセルの思考の筋道は私にはよく分かりませんが、こんなふうに考えていたのかもしれません。〈ミケは猫だ〉という事実は世界に存在します。この事実は〈ミケ〉という個体と〈猫だ〉という性質から構成されています。ですから、〈ミケ〉という個体も〈猫だ〉という性質も、世界に存在する、と。

そうなると、固有名「ミケ」は個体〈ミケ〉を指示し、述語「……は猫だ」は性質〈猫だ〉を指示するのですから、「ミケは猫だ」という文は〈ミケは猫だ〉という事実を指示すると言いたくなりますが、そうは問屋が卸してくれないというのは、以前にやりました(四七―四九ページ)。思い出してください。

文が事実の名前だとすると、例えば「夏目漱石は猫だ」のような偽な文の場合には、そのような事実は存在しないので、指示対象がないということになります。つまり、「夏目漱石は猫

だ」は偽ではなくて無意味になってしまいます。
そこでラッセルは命題という存在を考えるのです。個体と性質は存在しますから、個体と性質を組み合わせたものも存在する。それが命題です。

**質問**　え、個体と性質を組み合わせたものは事実じゃないんですか？

〈ミケ〉と〈猫だ〉を組み合わせたものは事実と一致します。だけど、〈夏目漱石〉と〈猫だ〉を組み合わせたものは事実ではありません。でも、〈夏目漱石〉も〈猫だ〉も存在するのですから、その組み合わせも存在する、とラッセルは主張します。分かりにくいでしょう？　私の説明が悪いんじゃないです。ラッセルがまた私たちを置いて突っ走っていってるんです。いや、でも私の説明もまだ足りないですね。がんばって説明しましょう。
固有名は個体を指示し、述語は個体の性質を指示します。まずここのところをもう少しきちんと言いましょう。〈猫だ〉が性質だという点に違和感をもった人もいるかもしれません。でも、ある対象がどういうあり方をしているのかをすべて「性質」と呼んでしまいます。ですから、〈猫だ〉はミケの性質です。〈寝ている〉もミケの性質です。もちろん、ミケだけでなく、〈猫だ〉はタマの性質でもあるし、〈寝ている〉は教室で授業中に寝落ちしている学生の性質でもあります。ちょっと区別した方がいいのは、例えば〈……は……の親だ〉とか〈……は……を飼っている〉などです。これは「性質」ではなく「関係」と呼ばれますが、いまは細かい呼び名は問題ではありません。ともかく、述語というのはこうした性質や関係を指示する語だというわけです。★22

いま考えている文は固有名と述語からなるものです。固有名は個体を指示し、述語は性質ないし関係を指示します。そこで、個体と性質ないし関係を組み合わせたものを「命題」と呼びます。混乱しそうなところなので注意してください。「命題」という言葉がかなり特殊な意味で使われています。ある脈絡ではたんに文のこと（とくに真偽の言える文のこと）を「命題」と言ったりします。そういう「命題」という語の使い方は忘れてください。そして、ラッセルが言う「命題」を新たな気持ちで理解してほしいのです。

いま問題にしているのは文の指示対象です。そして文の指示対象をラッセルは「命題」と呼びます。それは個体と性質ないし関係を組み合わせたものです。個体も性質も関係も存在しますから、命題も存在するとラッセルは主張します。

存在するって、どこに？　命題ってどこに存在するのか。真な命題は世界に存在します。例えば、「バートランド・ラッセルはイギリス人だ」という文は〈バートランド・ラッセルはイギリス人だ〉という命題を指示しますが、この命題は真ですから、事実です。事実なので、この世界に存在します。真な命題は事実に等しいので、世界に存在しているのです。でも、偽な命題もあります。「バートランド・ラッセルは日本人だ」の指示対象は〈バートランド・ラッセルは日本人だ〉という命題ですが、これは偽です。ですから、この世界には存在しません。でも、存在するのです。どこに？　さあ、どこに、と言えばいいのでしょうか。〈バートランド・ラッセル〉という個体はこの世界に存在します。〈日本人〉という性質も存在します。だから、それを組み合わせた命題も存在する、とラッセルは言うのです。

うーむ、なんだか納得できなくて質問したくなってるでしょうか。でも、もうひとつ、命題関数について説明をしますので、ちょっと待っててください。

文の指示対象として命題という存在を認めると、それと連動して命題関数の捉え方もフレーゲとは異なったものとなります。「……は猫だ」という述語は〈猫だ〉という性質を指示し、これは個体と組み合わされて命題を作りますから、そのことを表わしたものとして、〈xは猫だ〉という命題関数が考えられます。これはxに個体を代入すると命題ができるという関数です。xに〈ミケ〉を入れれば〈ミケは猫だ〉という命題を出力して、〈夏目漱石〉を入れれば〈夏目漱石は猫だ〉という命題を出力します。フレーゲは命題関数を個体から真偽への関数としましたが、ラッセルは個体から命題への関数と考えるのです。

はい。質問、どうぞ。

**質問**　「ミケは猫だ」という文は〈ミケは猫だ〉という命題を指示するって言われても、なんだかありがたみがないんですけど。これで何か明らかになったんでしょうか？

そうですね……。このように考えれば、とりあえずは、文の指示対象は〈真〉か〈偽〉の二通りだという帰結は避けられます。だけど、確かに、文は命題を指示するとだけ言われても、命題とは何なのかということに問題が先送りされただけのような感じがします。さしあたりラッセルが言っているのは、命題は個体と性質、関係から構成されているということ、そして個体、性質、関係は世界に存在していて、それを私たちは知りうるということです。ですから、「ミケは猫だ」という文の意味は何かと問われたならば、〈ミケ〉を指示して「ミケ」はこれだと言い、そして猫を指示して「……は猫だ」という述語はこういう性質のことだと言って、だからそれを組み合わせて作られる命題が「ミケは猫だ」の意味なのだと、説明することになります。どうでしょう。少しはありがたみが感じられますか？

先に述べたように、真な命題は事実と一致します。ですから、真な命題の場合には、命題が存在するというのもある程度は納得できるでしょう。しかし、偽な命題が存在するということには、納得しがたいものがあります。例えば〈バートランド・ラッセルは日本人だ〉という命題は偽です。そしてラッセルはこの命題も存在すると言います。どこに？　偽な命題はいったいどこにあるというのでしょう。

偽な命題も存在するということになれば、その存在の数はこの世界の事実の数を圧倒的に凌駕します。〈バートランド・ラッセルは日本人だ〉だけでなく〈バートランド・ラッセルは猫だ〉も〈バートランド・ラッセルは火星人だ〉も存在するのですから。さすがにラッセルも、どうもこれはなんか嫌だなと思ったようです。

**質問**　偽な命題が存在するってことを、そんなに嫌がらなくちゃいけないというのがもうひとつピンとこないんですけど。だって、実際、偽な命題ってあるじゃないですか。

偽な文はあります。それは、文字に書かれて紙の上にあったりします。「バートランド・ラッセルは日本人だ」と私はいまパソコンに打ち込みました。あるいはその音を発してもいいです。「ばーとらんどらっせるはにほんじんだ」という音は確かに存在します。でも、いま「偽な命題」と言われているのは偽な文の指示対象です。つまり、「ばーとらんどらっせるはにほんじんだ」という音は〈バートランド・ラッセルは日本人だ〉という命題を指示していて、そしてこの命題が偽なので、私が発した文も偽になるというのです。だけど、〈バートランド・

ラッセルは日本人だ〉という命題は事実ではありませんから、この現実世界には存在しません。でも、ラッセルは偽な命題も存在すると主張する。なぜか。偽な命題が存在しなければ偽な文は指示対象を失ってしまい、無意味ということになってしまうからです。だけど、偽な命題まで存在するというのは、なんでもかんでも存在するとした第一形態と同様の野放図な存在論になってしまっているのではないでしょうか。

### 命題はそれを判断する人が構成する

ラッセルも、偽な命題の存在を認めることに居心地の悪さを感じたのでしょう。さらに考えを進めて、「多項関係説」と呼ばれる考え方を提唱します。それは、ひとことで言えば、「命題は人がそれを信じたり判断したりすることによって成立する」という考えです。とはいえ、単純に命題は人の心の中にあると言って済ませてしまおうというわけではありません。「信じる」とか「判断する」といった心の働きについての考え方の変更が必要になります。

変更前のラッセルは、いま見てきた通り、真な命題であれ偽な命題であれ、誰が判断しなくとも存在していると考えました。そして、判断というのは判断以前に存在しているそうした命題に対して主体がとる態度だと考えていたのです。例えば、月子さんが「夏目漱石は『浮雲』を書いた」と判断するとしましょう。それは、判断以前に存在していた命題に対して月子さんが「私はこれを判断する」という態度をとることだというわけです。

「態度」という言い方に違和感があるかもしれません。こうした命題に対してとりうる態度としては、「信じる」や「疑う」や「希望する」等があります。「判断する」も、そうした命題に対して主体がとる態度の一種だというのです。

これが変更前の考え方ですが、これだと偽な命題の存在を認めなければならない。いまの事例で言えば、〈夏目漱石は『浮雲』を書いた〉という偽な命題が存在し、月子さんはそれに対して「判断する」という態度をとったわけです。

しかしラッセルはこの考えを捨てます。もはや偽な命題が存在するとは考えません。存在するのは〈夏目漱石〉という人物、〈『浮雲』〉という作品、〈……は……を書いた〉という関係です。そして、月子さんは存在するそれらを取り上げ、判断という心の働きにおいて〈夏目漱石は『浮雲』を書いた〉という命題を構成するのです。こうして、判断主体と命題が判断という心の働きによって結びつけられます。つまり、〈月子〉という判断主体と、〈夏目漱石〉、〈『浮雲』〉、〈……は……を書いた〉といった個体や関係が判断という仕方でまとめあげられ、〈月子は夏目漱石が『浮雲』を書いたと判断する〉という事実が成立するというわけです。これが「多項関係説」です。

振り返ってラッセルの意味論をまとめてみましょう。固有名は個体を指示し、述語は性質や関係を指示します。その指示対象である個体、性質、関係は世界に存在しています。そこで主体はそれらの個体、性質、関係といった項を判断において関係づけ、命題を構成します。そうして構成された命題が、文の指示対象であり、文の意味です。かくして、野放図な存在論に陥ることなく、しかも指示対象一本鎗で言葉の意味を捉えることができた、というわけです。

いやあ、めでたし、めでたし。

## ウィトゲンシュタインの批判

とは、ならないんですね。ラッセルはこの多項関係説を用いて『知識の理論』という著作を準備していました。その草稿をウィトゲンシュタインに見せたところ、ウィトゲンシュタインから批判を受けたのです。そしてラッセルはその批判を受け入れ、『知識の理論』の出版を取りやめたといいます。

ウィトゲンシュタインの批判がどのようなものだったのかは、次の章でウィトゲンシュタイン自身の考えを見てから説明します。いまは次の章を始める前に、ウィトゲンシュタインの言葉だけ引用しておきましょう。ウィトゲンシュタインがラッセルにダメ出ししているという事実だけでも紹介しておきたいのです。

正しい判断理論はすべて、「このテーブルはその本をペン立てる」[★23]と私が判断することを不可能にしなければならない(ラッセルの理論はこの条件を満たしていない)。文の構造を捉えねばならない。文の構造さえ捉えれば、あとは容易なのだ。

フレーゲの教えるところによれば「文は名である」。それに対してラッセルは「文は複合物に対応する」と述べた。どちらもまちがっている。「文は複合物の名である」と言うのであれば、それはいっそう誤りである。ひとは事実を名指すことはできない。[★24]

# 第五章　『論理哲学論考』の言語論

前章の終わりに引用したウィトゲンシュタインの「論理に関するノート」には一九一三年九月と日付が記されてあります。そのときウィトゲンシュタインは二十四歳。思わず、若造じゃん、と言いたくなります。ラッセルはといえば四十一歳、フレーゲはそろそろ六十五歳になろうかという頃でした。だからなんだというわけではありませんが、私はいま六十八歳(本書執筆時)です。いや、だからなんだというのではありません。失礼しました。

ウィトゲンシュタインの主著は一九一八年に完成した『論理哲学論考』と死後に出版された『哲学探究』ですが、両者はかなり性格の異なった著作なので、『論考』の時期は前期ウィトゲンシュタインと呼ばれ、『探究』を執筆していた時期は後期ウィトゲンシュタインと呼ばれます。濃厚にフレーゲとラッセルの影響が見られるのは前期で、後期にはその影響が露わな形では現われなくなりますから、フレーゲ、ラッセルと追ってきた私たちとしては、前期ウィトゲンシュタインに焦点を当てることになります。最後に少しだけ後期ウィトゲンシュタインにも触れますが、あくまでも『論考』との関係にポイントを絞って、『探究』の哲学の立ち入った説明には踏み込みません。★25

前期ウィトゲンシュタイン(以下、文脈から明らかな場合にはいちいち「前期」と書くことは省略します）の言語哲学を理解するには、「論理形式」と「論理空間」というウィトゲンシュタイン独自の概念を理解する必要があります。でも、その説明に入る前に、『論考』の大筋を眺めておいた方がよいでしょう。というのも、『論考』は言語哲学に対する豊かで深い洞察をもちながらも、言語哲学を論じた著作ではないからです。

## 1　『論理哲学論考』の構図

### 『論理哲学論考』のめざしたもの

哲学が取り組んできたさまざまな問題——自我について、生と死について、価値について、倫理について、論理について、等々——は、自然科学のように世界のあり方を探求すれば答えが出るものではなく、また数学のように考えるだけで答えが出るというものでもないとウィトゲンシュタインは考えています。そうした哲学問題はそもそも思考の限界を超えようとする人間の知的衝動の所産なのだというのです。ですから、哲学が為すべきは、そうした哲学問題への衝動を鎮静することだ。これはウィトゲンシュタインが一貫してもっていた考えです。

そこで『論考』が取り組むのは、思考の限界を見定めることでした。ここで「思考」とはあくまでも言語的思考のことで、言葉にならない漠然とした思いのようなものではありません。ですから、思考の限界というのは言語的思考の限界であって、それは有意味に語りうることがらの限界に等しいものとみなされます。そして哲学の諸問題がその限界を超えていることを示してやる。そうすれば哲学的衝動も鎮静されるだろう、というわけです。こうして、『論考』はその最後を「語りえぬものについては、沈黙せねばならない」と結びます。

語りうるもの、すなわち思考可能なものの総体は「論理空間」と呼ばれます。ひとことで言えば、論理空間のあり方を明らかにすること、これが哲学問題を解消するために『論考』が進もうとした道でした。

## 言語と思考

言語と思考に関して、二つの考え方がありえます。ひとつは、思考が言語に意味を与えるという考え方。そしてもうひとつは言語が思考を可能にするという考え方です。思考優位の考え方と言語優位の考え方と言ってもいいでしょう。そして『論考』の最大の特徴――哲学史上において特記されるべき特徴――は、明確に言語優位の考え方を打ち出したことです。

ラッセルの考え方と比較してみましょう。前章の最後で見たラッセルは、文の指示対象として命題を考え、命題は信念や判断によって構成されるとしました。〈ミケは猫だ〉という命題は誰かある主体がそう判断することによって構成され、その命題を指示することによって「ミケは猫だ」という文は意味をもつ。信念や判断という心の働きから出発して、命題の構成を経て、それが言葉に意味を与える。この順番ですから、いわば思考が言語に生命を吹き込んでいるわけです。確かに、声に出す言葉はそれ自体では音の連なりにすぎませんし、書きつける言葉はただの文字模様であり、手話はただの身体運動です。そうした音列や模様や身振りに言語としての意味を与えるのが思考なのだという考えは、むしろ常識的とも言えるでしょう。

しかし、『論考』はこれをひっくり返します。つまり、言語が思考を成立させるのであって、言語以前の思考という考えには意味がない、と。

そのことを説明するために、何が思考可能かということについて考えてみましょう。まず第一に、矛盾していることは考えられません。「三辺で囲まれた四角形」とか「午後の早朝」とか、文字通りの意味では考えることができません。ただ、私たちが矛盾した考えをもつことは珍しくないので、そういう場合にはどうなんだろうとも思いますが、もしはっきりと論理的に矛盾しているならば、それは思考とは言えません。ここではそのくらい厳密に「思考」という言葉を使います。思考は有意味な内容をもちます。そして矛盾は有意味な内容をもちません。「三辺で囲まれた四角形」も「午後の早朝」も、もしかしたら一見内容があるように見えるかもしれませんが、無内容です。ですから、それは思考の対象にはなりません。

また、無意味なことも思考可能ではありません。極端な例を出すなら、「あのほらけがとってもとてちてた」はなんのこっちゃですから、思考不可能です。あるいは、微妙な例かもしれませんが、現実の人物を指示しているものとして「安倍川きな子」という固有名を使用したけれど、現実にそんな人は現在も過去も存在していないとすれば、「安倍川きな子さんは甘いものが好きだ」は無意味となります。ですから、いま考えようとしている厳密な意味では思考不可能です。(虚構の語り方についてはここでは考えないことにします。)

逆に、矛盾でも無意味でもないならば、もうなんでもござれで思考可能です。不肖わたくしが大リーグで活躍すること(しかも二刀流!)であろうと、富士山に小惑星が衝突することであろうと、なんだって考えることができます。

だけど、「富士山に小惑星が衝突した」なんて非現実のことが、どうして考えられるのでしょうか。『論考』はこの問いを真剣に引き受けます。ふつうはこんな問いは立てないでしょう。ていうか、何が問われ、どういう答えが求められているのかも、よく分からないのではないでしょうか。どうして考えられるのかって、だって考えられるし……。じゃあ、なんで「あのほらけがとってもとてちてた」や「三辺で囲まれた四角形」は思考不可能なのか。ちょっと立ち止まって問いを味わってみてください。「富士山に小惑星が衝突した」と考えることができるのはどうしてか。

矛盾や無意味は無内容だから考えられない。他方、「富士山に小惑星が衝突した」は有意味な内容をもっている。だから、思考可能だ。――でも、ここで有意味な内容があることと無内容とを区別するものは何でしょう。どうしてそう区別されるのでしょうか。

もし思考が言葉に意味を与えるのであれば、思考可能な内容であればその言葉は有意味だとされ、思考不可能なら無意味とされることになります。だとすれば、語句や文の有意味性以前に思考可能性が定まっていなければならないでしょう。ではもう一度問いましょう。「あのほらけがとってもとてちてた」や「三辺で囲まれた四角形」はどうして思考不可能で、「富士山に小惑星が衝突した」はどうして思考可能なのでしょうか。思考可能性が文の有意味性を決めると考えると、この問いにどう答えてよいか分からなくなります。

「富士山に小惑星が衝突した」はどうして思考可能なのか。

「富士山に小惑星が衝突した」という文が有意味だからだ。

では「富士山に小惑星が衝突した」はどうして有意味なのか。

「富士山に小惑星が衝突した」が思考可能だからだ。

これでは何の説明にもなっていません。どうでしょう。だんだん問いが切実になってきたのを感じませんか。あるいは、これはどうも向きが逆だぞ、という気分になってこないでしょうか。つまり、思考可能性が文の有意味性を定めるのではなくて、文の有意味性が思考可能性を定めているのではないか。でも、それって、どういうことでしょうか。

では、『論考』の議論へと踏み込んでいきましょう。

## 2 言語が可能性を拓く

### ラッセルの誤解

第二章ですでに引用しておきましたが、『論考』は次のように始まります。

一　世界は成立していることがらの総体である。

一・一　世界は事実の総体であり、ものの総体ではない。

いま、こうやって書き出してみて、「あ、そうか」と思わされました。これ、いきなりラッセル批判じゃないですか。前章でラッセルについて書き、ラッセルに向かう気持ちがまだ濃く漂ってる中で改めて『論考』の冒頭を読むと、そこに昂然とラッセルに抗しているウィトゲンシュタインの姿が見えたのです。

ラッセルは偽な文の指示対象を確保するために、まず偽な命題の存在を認めました。だけどそんなものはどこにも存在しやしません。世界は成立していることがら、すなわち事実の総体です。あまりにもあたりまえのことを言いますが、私たちは事実からなる現実世界に生きており、非現実のことは現実ではありません。

そこでラッセルは、命題は現実に存在する対象から構成されると考えました。〈夏目漱石〉、〈『浮雲』〉、〈……は……を書いた〉という要素が組み合わされて、〈夏目漱石は『浮雲』を書いた〉という命題を構成するというわけです。これは明らかに要素主義的な考えで、ラッセル自身、自分のこうした考えを「論理的原子論」と称しています。そして『論考』もまた原子論的、すなわち要素主義的だと理解しました。[★26] しかし、それはラッセルが『論考』を自分自身に引きつけて捉えた誤解にすぎなかったのです。

『論考』が完成しても、まあ無名の若者が書いたなんだかわけの分からぬ著作ですから、出版を断られ、ラッセルによる序文を付けることでようやく出版にこぎつけたという経緯があります。でもウィトゲンシュタインはその序文に同意できず、序文がドイツ語に翻訳されたときにはラッセルにあてた手紙で、この序文は公刊されない、その結果『論考』も出版されないだろうと述べ、その理由をこう書いています。「英文に見られるあなたの洗練された文体は、翻訳では――当然と言えば当然のことでしょうが――失われてしまっており、後に残されたものはただ浅薄さ、そして誤解だからです。[★27]」

ラッセルの誤解とは何だったのでしょうか。それはいくつか指摘できますが、決定的なのは『論考』を要素主義的に捉えたことでしょう。ウィトゲンシュタインは「世界は事実の総体であり、ものの総体ではない」と言います。ここに私たちは要素主義を拒否する声を聞きとらねばなりません。そして第二章の文脈原理の説明のところでも書きましたが、ここにはフレーゲの強い影響のもとに文脈原理を尊重する姿勢が打ち出されています。ラッセルに決定的に欠けていたのは、文脈原理という考え方だったのです。

出発点は事実です。私たちは事実からなる現実世界に生きています。存在するのは事実のみであって、非現実の可能性などどこにも存在しません。しかし、私たちは非現実の可能性をさまざまに考えることができる。なぜでしょうか。

**事実から対象を取り出して可能的な事態に組み立て直す**

言語があるからだ。これがウィトゲンシュタインの答えです。

私たちは〈富士山に小惑星が衝突した〉という非現実のことを考えることができます。なぜでしょう。現実には、〈富士山に笠雲がかかっている〉という事実、〈一九九五年、中村彰正さんによって小惑星が発見され、「仮面ライダー」と命名された〉という事実[★28]、〈私は散歩の途中で電柱に衝突した〉という事実、等々があります。こうしたさまざまな大量の事実から、〈富士山〉、〈小惑星〉、〈衝突する〉といった要素が取り出されます。これらの要素は個体であったり概念(命題関数)であったりしますが、いまそうした区別はポイントではないので、『論考』の用語法に従い、すべて均しく「対象」と呼びましょう。つまり、固有名の指示対象も述語の指示対象も「対象」と呼ぶことにします[★29]。そして、事実を分解して、その構成要素である対象を取り出すことは「分節化」と言われます。これだけ見ると要素主義的にも思えます。しかし、ここが肝心なところですから、きちんと押さえておかねばなりません。あくまでも事実から出発して、事実を分節化し、対象を取り出します。これが文脈原理の精神に沿っているというのは、もう少し後でもっと説明しましょう。ともあれ、まず大筋だけ確認しておくならば、さまざまな事実から、〈富士山〉、〈小惑星〉、〈衝突する〉という対象を分節化し、それを組み立て直して〈富士山に小惑星が衝突した〉という可能な事実を構成するというわけです。

**質問**　これ、〈富士山〉、〈小惑星〉、〈衝突する〉という要素を判断において組み合わせるというラッセルの考え方とどこが違うんですか?

そう、それでラッセルも誤解したわけです。でも、根本的に違うんです。それをいまじわじわと説明しているところなので、もう少し待ってください。問題は「事実を分節化して組み立て直す」というのはどういうことなのか、それはどのようにして為されるのか、です。

ちょっと用語を整えておきましょう。『論考』では可能な事実を「事態」と呼び、現実に成立していることを「事実」と呼んでいます。とはいえ、読者の多くはこの用語に慣れていないでしょうから、以後、可能な事実はたんに「事態」ではなく、「年寄りのお爺さん」みたいな冗長な言い方になりますが、「可能的な事態」と書くことにします。現実に成立していることはたんに「事実」と書き、とくに現実のことだと強調したいときには、これも「現実の事実」と書くことにします。

**対象を組み立て直すには言語が必要**

対象は現実の事実から取り出されたものですから、すべて世界に存在します。〈富士山〉はあの山ですし、〈小惑星である〉という性質も〈衝突する〉という関係も現実に存在しています。そうした現実に存在する対象を組み立てたら、どうなると思いますか? なんかすごく突飛なことを考えているので戸惑うかもしれません。でも、ちょっと考えてみてください。現実に存在する〈富士山〉、〈小惑星〉、〈衝突する〉という対象を組み立てて〈富士山に小惑星が衝突する〉としたら、どうなるか。

現実に存在する対象を組み立てたら、できあがるものも当然現実に存在することになるでしょう。現実に存在する〈富士山〉、〈小惑星〉、〈衝突する〉という対象を組み立てたら、できあがるのは〈富士山に小惑星が衝突する〉という事実、可能的な事態ではなくて、現実に存在する事実です。つまり、ほんとに富士山に小惑星を衝突させることになります。

ですから、そうした対象の可能な組み立て方を考えるには、対象そのものを組み立てるのではなくて、対象の代理物を組み立てることになります。それが、言語です。私たちが使っている音声言語や文字言語や手話だけでなく、ものごとを表現する働きをもったものをすべて「言語」と呼ぶことにしましょう。標識、鉄道路線図、食品サンプルなども、ものごとのあり方を表現しているという意味で、「言語」です。「代理物」というイメージは食品サンプルなんかが分かりやすいでしょう。ラーメンの横に半チャーハンと餃子のサンプルが並んでいれば、それはある定食のあり方を表現しているわけです。もし食品サンプルがなくて現物だけしかないならば、ラーメンの横に半チャーハンと餃子の実物を置くことになりますが、それはもはや可能な定食のあり方ではなくて、実際の定食そのものです。だから、可能的な事態を表現するには代理物がなければだめなのです。そして私たちがもっている非常に使いやすい代理物が、音声言語や文字言語や手話なのです。ラーメンの食品サンプルが手元になくても、「ラーメン」と声に出したり、文字に書いたりすればいいのですから。あるいは手話だと、右手の中指と人差し指を立ててからませ(「ら」の指文字)、それで麺をすする仕草をすればいい。いずれにせよ、いつでもどこでも簡単にできます。

「富士山」という固有名は〈富士山〉を代理し、「小惑星だ」という述語は〈小惑星だ〉という性質を代理し、「衝突する」という述語は〈……に……が衝突する〉という関係を代理します。こうした言葉を並べて「富士山に小惑星が衝突した」という文を作るのは、ラーメンのサンプルの横に半チャーハンのサンプルと餃子のサンプルを並べるのと同じなのです。食品サンプルの配列が可能な定食のあり方を表現するように、「富士山に小惑星が衝突した」という文は〈富士山に小惑星が衝突した〉という可能的な事態を表現します。★30

現実の対象を代理する言葉をさまざまに組み合わせると、それがさまざまな可能性を表現します。可能性とは、言語が表現するものとしてのみ、成り立ちうるのです。

## 3　論理形式と論理空間

**対象を分節化するには可能性を了解していなければならない**

言語がなければ可能性は開けないという、以上の議論を踏まえると、こんな流れを考えたくなります。

現実の事実を対象に分節化する。
←
対象を語で代理する。
←
語を組み合わせることで可能的な事態を表現する。

しかし、これは実情ではありません。この流れでは、現実に成立している事実を対象に分節化してから、その後で可能的な事態を考えることができる、という順番になっていますが、対象を分節化するという第一のステップは、可能的な事態を考えるという第三のステップを必要とするのです。『論考』では次のように述べられています。


二・〇一二三　私が対象を捉えるとき、私はまたそれが事態のうちに現われる全可能性をも捉える。

（そうした可能性のいずれもが対象の本性になければならない。）

あとから新たな可能性が発見されることはありえない。


対象を分節化するときには、同時にそれによってどのような可能的な事態が考えられるのかも了解されるのでなければならない、というのです。

このままではあまりに抽象的で頭が働きません。具体的に考えてみましょう。〈ミケがソファの上で寝ている〉という事実があるとします。

——ああ、そうか。

いや、ここにはめんどくさい事情があるのでした。具体例を考える前に少し準備をさせてください。実は『論考』は具体例を出せない構造になっているのです。最初に述べたように、『論考』は哲学問題を解消しようとした著作です。そこで事実から対象を分節化するときも、

「単純な対象」に至るまで、とことん分析すると考えています。例えば〈女優だ〉という性質は〈女性だ〉という性質と〈俳優だ〉という性質の組み合わせとして分析できるでしょう。〈ミケ〉をさらに細かい要素へと分析するとどうなるのか、私には想像できないのですが、おそらくウィトゲンシュタインは〈ミケ〉も完全に単純な対象ではないと考えていたと思われます。詳細は省きますが、[★31]「草稿　一九一四―一九一六」ではこんなふうに書いています。

われわれはくりかえし単純な対象について語り、しかも、どのような例を挙げればよいのか、何ひとつ分からなかった。これが、われわれの困難であった。[★32]

『論考』はそのままでは日常言語に対する言語論としては使えないのです。ですから、これからの説明は『論考』の解釈ではなく、『論考』の考え方に基づいて日常言語を捉えるとどうなるかという、「前期ウィトゲンシュタイン的」な言語論だと考えてください。

というわけで「ミケがソファの上で寝ている」のような例を用いることにします。

さて、対象を分節化するときにはどのような可能的な事態が考えられるのかも了解されなければならない、という話に戻りましょう。〈ミケがソファの上で寝ている〉という事実がありいます。こうした事実から〈ミケ〉という対象を分節化する。そのときには、ミケが、ソファの上でなく床の上だったり布団の中だったり、あるいは寝ているのではなく、歩いていたり、あくびをしていたりする可能性も了解されているはずです。もしそうした可能性がまったく理解されていなくて、ミケはただソファの上で寝ているだけの存在であるとしたら、もうミケとソファとは一体化し、ミケは寝ているという状態だけの存在ということになります。え、東照宮の眠り猫みたいな感じかって？　いや、それは違います。確かにかの有名な眠り猫の彫刻は東照宮の回廊の門に固定されていますが、あれだって門と眠り猫が一体化しているわけではなく、〈眠り猫〉という対象として分節化されるためには、他の場所に設置する可能性が了解されていなければだめです。例えば、我が家の玄関に設置したいと強く要望されれば私としては断わりません。〈ミケ〉という対象は必ずなんらかの事実のもとにあります。しかし、私たちは〈ミケ〉が他の可能的な事態の中に現われることを想像することができます。そのような可能性を理解していなければ〈ミケ〉を一つの対象として取り出すことはできません。対象とは、必ずなんらかの事実のもとにありながら、さまざまな可能的な事態のもとに現われうるという仕方で、事実から切り離された存在とみなされるのです。

それは個体だけでなく、性質や関係も同様です。〈寝ている〉という性質は必ずなんらかの事実のもとにあります。つまり、ミケが寝ていたり、学生が寝ていたり、ソファの上で寝ていることもあるでしょうし、机に顔を伏せて熟睡していることもあるでしょう。そうしてさまざまな可能的な事態のもとに現われうるという仕方で、特定の事実から切り離され、〈寝ている〉という性質が分節化されるのです。

ですから、まず現実に成立している事実を対象に分節化してから、その後で可能的な事態が思考可能になると考えたくなるところですが、これは実情ではありません。対象が分節化されるときには、その対象がどのような可能的な事態に現われうるかも同時に理解されているのです。ある対象について、それがどの可能的な事態に現われうるかということを、ウィトゲンシュタインは「論理形式」と呼びます。これは『論考』の最重要概念です。



### 対象の論理形式は語の論理形式から把握される

では〈ミケ〉や〈寝ている〉の論理形式はどのようにして理解されるのでしょうか。世界において私たちが出会うのはすべて現実に成立している事実であって、非現実の可能的な事態に出会うなんてことはありません。〈富士山に小惑星が衝突した〉などという可能性は現実には存在せず、ただ「富士山に小惑星が衝突した」という文が表現するものとしてあるだけです。「富士山」という固有名、および「……は小惑星だ」、「……は……と衝突した」などの述語を有意味に組み合わせる仕方でのみ、何が可能的な事態なのかが捉えられるのです。ある語について、他のどの語と組み合わせて有意味な文が作れるかということを、ウィトゲンシュタインは「論理形式」と呼びます。

**質問**　あれ？　だとすると、対象にも論理形式があって、語にも論理形式があるということですか？

そうです。「富士山」という語は「……は噴火する」や「……は……と衝突する」という述語と有意味に組み合わせることができますが、「……は素数だ」や「……は臆病だ」という述語とは、文字通りの意味では組み合わせることができません。こうした組み合わせの可能性が、「富士山」という語の論理形式になります。

では、〈富士山〉という対象の論理形式はどのようになると思います？　ちょっと考えてみてください。

ここで、「どの可能的な事態に現われうるか」と言われるときの「可能性」は目いっぱい広くとられます。無意味になったり矛盾したりさえしなければ、それは「考えることができる」

という意味で可能です。つまり、現実にありそうかどうかとは関係のない、論理的な可能性です。ですから、〈富士山〉という個体は〈噴火する〉という性質や〈衝突する〉という関係と組み合わせることができます。他方、〈素数だ〉や〈臆病だ〉という性質とは組み合わせることができません。そうしたことが、〈富士山〉という対象の論理形式です。

**質問** 同じ説明が繰り返されている感じで、何が説明されてるのか分からなくなりました。

ええ、語の論理形式と対象の論理形式は厳密に一致します。ですから、同じ説明が繰り返されることになります。

現実に成立している事実だけを見ていても、どんな可能性が考えられるのかは分かりません。ただ私たちは事実、事実、事実、事実に取り囲まれているだけです。それを言葉で表わして、しかも文が語に分節化されて初めて、非現実の可能性を表わす組み合わせを作ることができます。ですから、語の論理形式と対象の論理形式が一致するのは当然のことなのです。そして、有意味な文の全体と思考可能な事態の全体も、当然、一致します。ここで拒否されている考えは、対象に分節化された世界が言語以前に成立して、それが言葉に意味を与えるという――まさにラッセルが囚われていた――考え方です。語の論理形式の理解と対象の論理形式の理解は、両方伴って成立するのです。

| |
|---|
| 対象の論理形式　その対象がどの可能的な事態に現われうるか、その論理的可能性のこと。<br>語の論理形式　その語がどの有意味な文に現われうるか、その論理的可能性のこと。 |

**質問**　でも、どういう組み合わせが有意味なのかという論理形式の理解は、どういう文が有意味なのかという理解に基づいていますよね。じゃあ、どういう文が有意味なのかは、どうやって判断するのですか？

さあ、そこです。これは『論考』を正確に読みとらないと分かりません。私が注目するのは次の箇所です。いくつか説明が必要ですが、まず引用します。記号使用（言語使用）が強調されている点に注意してください。

三・三二六　記号からシンボルを読みとるには、有意味な記号使用に目を向けねばならない。

三・三二七　論理的構文論に従った使用をまってはじめて、記号の論理形式が定まる。

三・三二八　使用されない記号は意味をもたない。これがオッカムの格言の意味にほかならない。

（逆に、その記号があらゆる場面で意味をもつかのように使用されているのならば、その記号は実際に意味をもつのである。）

有意味性の最終的な根拠は実際の私たちの言語使用にあると言われています。そこだけ読みとってくれればそれでいいのですが、引用した責任をとって簡単に解説しておきます。「記号」と「シンボル」という用語が使い分けられています。「記号」は音声言語における音列、文字言語における文字模様、手話における身振りのことで、例えば「富士山」は漢字三文字だというのは「富士山」という記号についてのことです。それに対して、〈富士山〉を指示するものとして使用された「富士山」は「シンボル」と言われます。つまり、意味抜きで捉えられたものが記号で、意味をもったものとして捉えられたものが「シンボル」です。

「論理的構文論」とは、日常言語がもっている言語使用の規則を明確な仕方で取り出したものです。ラッセルは『論考』が日常言語に対する不満から、論理的に完全な理想言語を求めたと理解しましたが、これはラッセルの『論考』に対するもうひとつの誤解で、『論考』は、必要なものはすべて日常言語にあり、他にはないと考えていました。ただ、日常言語はあまりに複雑なので、その言語使用の規則は容易に見通せません。そこでそれが見通せたと仮定して、日常言語の使用規則を「論理的構文論」と呼んだのです。

次は、ああ、「オッカムの格言」ですね。ここは「中略」にしちゃおうかと思ったのですが、せっかくなので引用しました。一四世紀の神学者・哲学者であるオッカムのウィリアムが愛用した考え方で「よけいな存在は立てるな」というものです。ウィトゲンシュタインは「使用されない表現は無意味として切り捨ててよい」という意味で述べています。私はいま自分の部屋を見まわして「断捨離」という言葉を思ってしまいました。いや、いま使っていなくても、いつか使えるなら残しておいてよいのです。オッカムもそう言っています(と思います)。

私としては、なぜか括弧に入れられていますが、「その記号があらゆる場面で意味をもつかのように使用されているのならば、その記号は実際に意味をもつ」というところが重要だと考えています。なぜここに注目するかと言えば、うっかりすると言語使用に意味の基盤を求めるのは『探究』、すなわち後期ウィトゲンシュタインであって、『論考』にはその観点はないと思われがちだからです。それはまったくの誤解で、『論考』でも、ほら、使用こそが意味の基盤だと言ってるじゃないかと示したかったのです。

言葉は、実際に使えているのだったら有意味だ、ウィトゲンシュタインはそう考えます。ですから、語の論理形式は実際の言語使用から了解されるのです。「富士山」という固有名や「……は噴火する」あるいは「……は……と衝突する」といった述語が文から切り出されてくるときには、その語の論理形式、すなわちそうした語を使ってどういう文が実際の言語実践において使用可能なのかも了解されなければなりません。

そして、語の論理形式は、その語の指示対象の論理形式として捉えられます。つまり、対象の論理形式は語の論理形式をもらってきたものなのです。対象の論理形式とは、その対象がどのような可能的な事態に現われうるかということですから、こうして思考可能な事態が捉えられることになります。

**為すべきは説明ではなく解明**

**質問**　でも、対象が分節化されていなければ語も意味をもちませんよね。とすると……、むむむ。ちょっと分からなくなりました。

整理してみましょうか。

文から語が分節化されるとき、語の論理形式も了解されている。

事実から対象が分節化されるとき、対象の論理形式も了解されている。

対象の論理形式は語の論理形式をもらってきたものだ。

そしてウィトゲンシュタインは語は対象を代理したものだと考えています。とすると、対象を分節化していなければ語は分節化できないし、語を分節化していなければ対象を分節化することはできない。これは説明が循環してるんじゃないのか？　むむむ。でも、循環してたらまずいですかね？

確かに、ふつう循環した説明というのは説明になっていないとされます。Aを説明しようとしてBを持ち出すのに、BがまたAを前提にしていたら、Aを説明するのにAを使っていることになって、説明として役に立ちません。
でも、だいじなのは、ここでウィトゲンシュタインが何を解明しようとしているかです。もしウィトゲンシュタインが「言葉はいかにして意味をもつのか」ということを明らかにしようとしているのであれば、この循環は困ったことでしょう。語の論理形式が分からなければ対象

の論理形式は分からないし、対象の論理形式が分からなければ対象を分節化できない。しかし対象が分節化できなければ語が何を代理しているのかも分からない。それが分からなければ語の論理形式も分からない。なんだかニワトリが先か卵が先かみたいな話になっています。

だから、語の論理形式も対象の論理形式も同時に把握されるんです。そうすると、そんなことがどうしてできるのかと問いたくなります。それに対してウィトゲンシュタインは、私たちがこのように言葉を使っているという事実から出発し、それが「いかにして可能なのか」という問いを断ち切るのです。

「いかにして可能か」という問いを断ち切らなかった例として、一般観念説を挙げることができるでしょう。私たち人間はかくも複雑な言語を使用している。こんなことがどうして可能なのか。この問いに対して、一般観念説はこう答えます。私たちは個々の対象を経験し、そこから抽象して一般観念を形成する。そして言葉は一般観念を表現することによって意味をもつ。その意味に従って、私たちは言葉を使用するのだ、と。

他方ウィトゲンシュタインは、哲学の目的は哲学問題を解消することだと考えます。そのためには、ありのままを受け入れ、それを明晰に見通すこと。自分たちが何をしているのか明晰に見てとっていないから、哲学問題が発生するのだ。これが、前期・後期通してのウィトゲンシュタインの一貫した態度でした。『探究』ではこう述べられています。

われわれの考察にはいかなる仮説もあってはならない。あらゆる説明は退場し、ただ記述だけがそれに取って代わらねばならない。★33

ただし、「説明」と「解明」を区別すべきです。★34 ここで「説明」と言っているのは仮説を立てて説明することで、自然科学などがやっていることです。しかしそれは哲学がやることではないとウィトゲンシュタインは言います。哲学がやるべきは実情を記述し、明晰に見通すこと。それが「解明」です。『論考』ではこう述べられています。

四・一一二　哲学の仕事の本質は解明することにある。

だから、語の論理形式の了解と対象の論理形式の了解が循環していても、それは別に困ったことではありません。それが私たちの言語理解の実情だということです。

## 論理形式の理解

ウィトゲンシュタインはフレーゲとは異なり、語の意味に対して意義のような内包的側面を考えません。語の意味はその指示対象です。その点ではラッセルと同じとも言えますが、しかし、ラッセルと決定的に違うのは、指示対象を捉えるときには語と対象の論理形式が了解されていなければならないとする点です。論理形式を考えることで、意義という側面を考えないで済んでいるとも言えます。そして意義と異なるのは、意義は意味の内包的側面ですが、論理形式はその語がどういう有意味な文を形成しうるかという了解で、内包というもうひとつ分かりにくいものを持ち出さなくてよい点です。

**質問** だけど、例えば「「富士山」という語の論理形式はこれこれである」って、きちんと言うとしたらどう言えばいいのでしょう。

それはきちんと言えません。だって、「富士山」という語を用いて作られうる有意味な文は無限にありますから。それをひとことで言うのは無理です。でも、私たちは「富士山」という語の論理形式を理解しています。日本語を習得し、「富士山」という語を使うことができる人であれば、それはつまり「富士山」という語の論理形式を理解しているということです。例えば、「ウィトゲンシュタイン」と「富士山」という語の論理形式を比べてみると、「ウィトゲンシュタインは噴火する」は比喩的には言えるかもしれませんが、文字通りには無意味です。他方、「富士山は噴火する」は有意味です。また、「ウィトゲンシュタインは結婚していた」は有意味(偽)ですが、「富士山は結婚していた」は無意味です。こうしたことが分かっているということが、論理形式を分かっているということです。

ところで、一つ問題を出してみましょう。いまは「ウィトゲンシュタイン」と「富士山」の論理形式の違いを考えましたが、では、「ウィトゲンシュタイン」と「野矢茂樹」(あるいは、「野矢茂樹」のところにはどうぞあなた自身の名前を入れてください)の論理形式の違いはどういうところにあるでしょうか。

考えるべきは、一方では有意味なのだけれどもう一方では無意味になるような語の組み合わせです。「ウィトゲンシュタイン」と「富士山」では「噴火する」と「結婚していた」を考えました。「ウィトゲンシュタイン」と「野矢茂樹」ではどうでしょう。

同じなんですね。野矢茂樹は『論考』を書いてないじゃないかと言われるかもしれませんが、「野矢茂樹は『論考』を書いた」は有意味(偽)です。前にも言いましたが、偽ということは有意味ということです。「ウィトゲンシュタインは日本人だ」も有意味(偽)です。「ウィトゲンシ

ュタイン」と「野矢茂樹」を区別するのは真偽の違い(そこが大きい!)で、論理形式は一緒なのです。人間と猫では論理形式は多少異なるでしょうが(「ミケは『論考』を書いた」は無意味でしょう)、人間であればすべての人の論理形式は同じになります。

## 全体論的言語観

「富士山は噴火する」が有意味であることは、「富士山」の論理形式を部分的に明らかにしますが、同時に「……は噴火する」という述語の論理形式も部分的に明らかにします。だとすると、「富士山」の論理形式が理解できているためには「……は噴火する」の論理形式も分かっていなければいけないということです。これは芋づる式に連鎖していきます。ある語Aの論理形式を理解するとは、その語と他の語B、C、D、……との組み合わせが有意味な文を作るかどうかを理解しているということですから、語Aの論理形式を理解するためには他の語B、C、D、……の論理形式も理解していなければいけません。それは他の語に関しても同様で、語Bの論理形式を理解するためには、他の語A、C、D、……の論理形式も理解していなければならない。ということは、一つの語の論理形式を理解するためには、けっきょくその言語に含まれるすべての語の論理形式を理解していなければならないことになります。

語の論理形式が分からなければ対象の論理形式も分かりません。すると対象を分節化することもできないので、指示対象も定まりませんから、その語の意味も分かりません。「富士山」という一つの語の意味を理解するために、日本語のすべての語の意味を理解しなければならないことになります。いや、なんだか途方もないことになってきました。

ここには、フレーゲにもラッセルにもなかった発想が見られます。ラッセルは要素主義的に一つひとつの語について語の意味を考えようとしました。フレーゲは「文の意味との関係においてのみ語の意味は決まる」と、文脈原理を提唱しました。ウィトゲンシュタインは文脈原理を文から言語全体へと最大限に拡張したと言ってもいいでしょう。このように、「言語全体との関係においてのみ語の意味も決まる」とする考え方を「全体論的言語観」と言います。

しかし、全体論的言語観には基本的な困難があるように思えないでしょうか。語の意味が決まらなければその語を含む文の意味も決まりません。そして文の意味が決まらなければその文を含む言語全体の意味も確定しません。しかし、全体論的言語観に従えば、言語全体との関係においてのみ語の意味は決まるというのですから、語の意味が決まる前に言語全体の意味が確定していなければならない。『論考』の言語観は破綻しているのでしょうか？

これはつまり、語の意味の理解と言語全体の意味の理解が循環しているということです。しかし、この循環も無害です。説明が循環していたら、それは説明として役に立たない。それはそうです。だけど、ウィトゲンシュタインは説明ではなく解明しようとしていました。語の意味の成り立ちを説明し、それをもとに文の意味の成り立ちを説明して、そうして言語全体のあり方が説明される、そういうことをやろうとしているのではないんですね。

私たちは実際にこんなに複雑な言語を学び、やりとりしている。それはつまりどういうことなのか。それを明らかにしたいのです。どうやってこの言語使用にたどり着いたかではなく、いま私たちがいるところがどういうところなのか、この言語使用の実態を明瞭に見晴らしたいのです。そして見晴らしてみると、全体が部分からできているなんて単純な構造ではなく、部分は全体との関係で意味をもっていて、部分と全体が緊密に結びついているというわけです。循環は、説明においては致命的な欠陥になりますが、部分と全体の関係は循環しているのが実情なのです。(このような考え方は、「全体は部分から理解され、同時に部分は全体から理解される」という、いわゆる「解釈学的循環」という考え方になじんでいる人には違和感なく受け入れられるでしょう。)

**質問**　そうしたら言葉を学ぶのはどうなるんですか？　言語全体を学ばなければ語の意味

も文の意味も学べないんだったら、言語習得は不可能でしょう。

確かに、それはありうる反論ですし、それを理由に全体論的言語観を拒否する議論もあります。『論考』は言語習得について何も述べていませんが、ウィトゲンシュタインに代わって少し考えてみましょう。

まず、言葉の意味は完全に理解しているかまったく理解していないかどちらかだというわけではありません。例えば、数か月前まで私は「けあらし」という言葉の意味を理解していませんでした。その後、本で読んだので、何か海面の霧のような気象現象だというぐらいの理解を得ました。で、いまは改めて調べてみたので、「水温より気温の方が低いために海面や川面から湯気のように蒸気が立ち昇ってくる現象」と理解しています。でも、まだ実際に見たことはないので、違う現象を「けあらし」だと言ってしまうかもしれませんし、けあらしを前にしてもそれが「けあらし」だという確信は得られないかもしれません。ですから、まだ私の「けあらし」理解は十分とは言えないでしょう。このように、語の意味の理解はまったく理解していない段階から十分に理解している段階の間に、少しは理解しているとかそれなりに理解しているが十分ではないといった状態があるものです。

それから、「言語の全体」といってもアバウトなものです。これが現在の日本語の全体ですなんて示せるようなものではないでしょう。そして、誰しも日本語のわりと一部分だけを使って生活しているのではないでしょうか。私はと言えば、学問的な用語の多くを知りませんし、金融関係の用語なんかとも無縁に暮らしています。子どもはもっと狭い範囲になって、「まんま」、「ママ」、「ちっち」、「だっこ」、「ないない」程度が使用している言語の全体だなんていう時期だってあるでしょう。

　こうして、狭い範囲のその人なりの「言語全体」の中で理解が段階的に進み、またその人が使用する「言語全体」の範囲も拡大していく。それが言語習得の実情だと思うのです。そうだとすれば、全体論的言語観は言語習得を不可能にするわけではなく、むしろ言語習得の実情を捉えていると言えるでしょう。

　日本語という範囲で考えるならば、一人の人が使用する言葉は日本語全体の一部にすぎませんから、一つの語に対して完全な理解は成り立っていないことになります。「猫」という語でも、生活に支障がない程度の十分な理解はもっているでしょうが、なおその理解は完全ではありません。というのも、「猫」という語の論理形式を完璧に把握しているわけではないからです。数か月前の私だと「猫がけあらしを食べた」という文が有意味なのかどうか分かりませんでした。これはもちろん「けあらし」という語の意味を理解していないからですが、その無理解は「猫」という語の論理形式に対する理解不足でもあるのです。以前の私は「けあらし」の論理形式をまったく理解していませんでした。それに対して「猫」であれば、どういう語と組み合わせて有意味な文が作れるかは、ふだんの生活の範囲では十分に理解しています。ですから実際上なんの問題もないのですが、しかし、厳密に言えば、「猫」の意味を完全に理解しているわけではありません。でも、だからといって困ったことになるわけでもありません。

## 4 論理空間と文の意味

### 論理空間の構成

語の意味が理解できると、それをもとに論理空間を構成できるようになります。語の意味を理解するとは、その語の指示対象と論理形式が分かるということですから、論理形式の理解をもとに、有意味な文を作り出すことができます。有意味な文は可能的な事態を表現していますから、こうして可能的な事態を列挙することができるようになる。これが論理空間かって？
いやいや、気が早い。もうひと手間かけましょう。

現実の世界では、これら可能的な事態のどれかが成立しています。例えば、私たちが生きているこの世界では、「富士山は江戸時代に噴火した」という事態は現実の事実として成立していますが、「富士山は明治時代に噴火した」は事実ではなく、可能的な事態に留まります。このように、世界はどの可能的な事態が現実に成立しているのかによって、さまざまなあり方をすることになります。例えば可能的な事態がA、B、Cの三つだとしましょう。すると、すべての事態が成立している世界も可能ですし、Aだけが成り立っていてBとCは成り立っていないという世界も可能です。こうして、可能的な事態がA、B、Cだけの場合には、世界のあり方について次の八つの可能性があることになります。

世界$W_1$……A－成立　B－成立　C－成立
世界$W_2$……A－成立　B－成立　C－不成立
世界$W_3$……A－成立　B－不成立　C－成立
世界$W_4$……A－成立　B－不成立　C－不成立
世界$W_5$……A－不成立　B－成立　C－成立
世界$W_6$……A－不成立　B－成立　C－不成立
世界$W_7$……A－不成立　B－不成立　C－成立
世界$W_8$……A－不成立　B－不成立　C－不成立

世界$W_1$は、AもBもCも成立している世界で、世界$W_2$はAとBが成立して、Cは成立していない世界、以下同様です。世界$W_8$というのはなんの事実も成立していない空無の世界で、そんなのはありえないのですが、一応形を整えるために入れてあります。この八つの可能的な世界の集合｛$W_1$, $W_2$, $W_3$, $W_4$, $W_5$, $W_6$, $W_7$, $W_8$｝が、可能的な事態がA、B、Cの三つだけという場合の論理空間です。

論理空間ではこうして可能的な世界をすべて列挙しますが、可能的な世界なるものがどこか（心の中、あるいは並行宇宙(パラレルワールド)?）に存在するわけではありません。存在するのは私たちが生きているこの現実世界ただ一つです。現実世界以外の可能的な世界は、ただ言語が表現することによって思考可能な世界として立てられるものです。

## 論理空間　可能的な世界の集合

さて、これで『論考』の道具立ては整いました。

### 文の意味を論理空間を用いて規定する

私たちの生きている現実世界には膨大な数の対象があり、膨大な数の事実が成立しています。だけど、そんな巨大で複雑な世界を考えようとしてもうまく考えられませんから、いま示した小さな論理空間を使って少しでもイメージしやすいように説明していきましょう。

対象が〈a〉、〈b〉、〈c〉、〈点灯している〉の四つだけという世界を考えます。〈a〉、〈b〉、〈c〉という三つの点だけが宇宙にあって、それぞれがポッと点灯したりしなかったりする、そんなイメージです。そこで、この四つの対象を有意味に組み合わせて作ることのできる可能的な事態は次の三つになります。

A……〈aは点灯している〉
B……〈bは点灯している〉
C……〈cは点灯している〉

そしてこの三つの可能的な事態から作られる論理空間は先に示したものとなります。では、論理空間を用いて文の意味を規定しましょう。

〈a〉、〈b〉、〈c〉、〈点灯している〉をそれぞれ指示する語として、「a」、「b」、「c」という固有名と、「……は点灯している」という述語を考えます。それらの語からできる有意味な文は「aは点灯している」、「bは点灯している」、「cは点灯している」です。

**質問**　てことは、「aは点灯している」という文の意味は〈aは点灯している〉という可能的な事態だってことですね？

そうですね。そう言ってもよさそうなのですが……。

**質問**　じゃあ、語の指示対象は個体と性質や関係で、文の指示対象は可能的な事態というわけで、ラッセルと同じと言っていいんですか？

いや、それは違います。可能的な事態は指示対象にはなりえません。どうしてかって？　ちょっと考えてみてください。ヒントはすでに与えてあります。

先に注意しておいたように、現実世界以外の可能的な世界なんてものが存在するわけではありません。事実以外の可能的な事態も存在しません。存在するのは現実に成立している事実だけです。ですから、可能的な事態が指示対象になるというのは不可能なのです。存在しないものを指示することはできませんから。

『論考』は、語の意味は指示対象だと考えています。指示対象である個体も性質も関係も、現実に成立している事実から分節化されたものですから、現実に存在します。そして語の理解には論理形式の理解が伴っています。その論理形式に従って語を組み立てれば、有意味な文になります。文はそうして可能的な事態を表現します。けっして可能的な事態なるものが言語以前に存在して、それが文に意味を与えると考えてはいけません。そこがラッセルと決定的に違うところです。

例えば「ａは点灯している」という文は〈ａは点灯している〉という可能的な事態を表現しますが、たんに可能的な事態を述べるだけではなく、この現実世界が〈ａは点灯している〉という事態が成立している世界なのだということを述べています。文は、論理空間に列挙された可能的な世界の中で、それが真になるような可能的な世界の集合を特定するのです。論理空間を用いて説明した方がいいですね。

まず論理空間を書き出しておきましょう。こんどは少し書き方を変えて、成立している事実だけを記すことにします。ですから、$W_8$は空欄です。

$W_1$……〈aは点灯している〉、〈bは点灯している〉、〈cは点灯している〉
$W_2$……〈aは点灯している〉、〈bは点灯している〉
$W_3$……〈aは点灯している〉、〈cは点灯している〉
$W_4$……〈aは点灯している〉
$W_5$……〈bは点灯している〉、〈cは点灯している〉
$W_6$……〈bは点灯している〉
$W_7$……〈cは点灯している〉
$W_8$……

「aは点灯している」という文は、現実世界が$W_1$、$W_2$、$W_3$、$W_4$のいずれかだということを述べています。「bは点灯している」という文は、現実世界が$W_1$、$W_2$、$W_5$、$W_6$のいずれかだということを述べています。このように、文は現実世界がどのようでありうるかに関して、論理空間から可能的な世界を取り出すものとなっています。

ちょっと確認しておきましょう。

**練習問題1**　「cは点灯している」という文が取り出す可能的な世界は何でしょうか。

フレーゲのところで「真理条件」という用語を使ったのを覚えているでしょうか。フレーゲは文の意義をその文がどのようにして真ないし偽になるかだとしました。「どのようにして真ないし偽になるか」ということが、その文の「真理条件」です。『論考』のこの場面でも、「真理条件」という用語を使うことができます。ひとことで言えば、『論考』において文の意味とはその真理条件なのです。例えば、先ほどの論理空間において「cは点灯している」という文の意味を理解しているとは、それがどういうときに真ないし偽になるのか、つまりその真理条件を理解しているということです。そしてそれによって、「cは点灯している」という文はその文を真にする可能的な世界の集合として$\{W_1, W_3, W_5, W_7\}$を定めます。これが練習問題1の答えです。

『論考』において真理条件と呼びうるものがフレーゲが「意義」と呼んだものと同じかどうかは、フレーゲの「意義」がもうひとつ明確ではないため、はっきりしませんが、でも、ウィトゲンシュタインがフレーゲの「意義」概念を意識し、それに対応するものを文の意味と考えていたことは確かでしょう。

## 要素文と真理関数

固有名と述語だけから構成される文は、世界のあり方を記述する文としては最も単純なものですから、「要素文」と呼ばれます。[★35]「ミケは猫だ」とか「富士山に小惑星が衝突した」といった文は、『論考』ではもっと単純な文から作られる複合的な文だと考えられますが、本書では要素文として扱ってきました。

ここで要素文に論理語を加えましょう。例えば「マルガレーテはルートヴィヒの姉か妹だ」という文(S)を考えてみます。[★36]これは「マルガレーテはルートヴィヒの姉だ」という要素文(A)と「マルガレーテはルートヴィヒの妹だ」という要素文(B)を「または」という論理語でつないだ文(「AまたはB」)と考えられます。そして文Sは、要素文Aか要素文Bのどちらかが真のとき、真になります。(マルガレーテはルートヴィヒ・ウィトゲンシュタインのお姉さんなので、Aが真。ですからSは真です。)このように、ある文を構成する要素文の真偽が決まればその文全体の真偽も決まるとき、要素文の真偽から文の真偽への関数という意味で、その文を要素文の「真理関数」と言います。――ひとこと注意。真理関数と命題関数を混同しないでください。命題関数は、フレーゲの場合、個体から真偽への関数で、ラッセルの場合は、個体から命題への関数でした。真理関数はそれとは違います。

## 真理関数　真偽を入力して真偽を出力する関数

否定文を考えましょう。否定の言葉「ではない」も論理語であり、否定文は真理関数になります。例えば「漱石は猫ではない」という文は、「漱石は猫だ」という要素文を否定したものです。もし「漱石は猫だ」が真であれば、「漱石は猫ではない」は偽になります。「漱石は猫だ」が偽であれば、「漱石は猫ではない」は真になります。つまり、「漱石は猫ではない」は「漱石は猫だ」を構成要素とする真理関数です。

論理空間はこうした論理語を扱うのに適しています。先の論理空間を用いて考えてみましょう。「aは点灯していない」という否定文は「aは点灯している」という要素文の真理関数です。「aは点灯している」という文は、この論理空間から{$W_1$, $W_2$, $W_3$, $W_4$}という可能的な世界を取り出します。否定とは、それ以外の可能的な世界を取り出すことです。つまり、「aは点灯していない」は{$W_5$, $W_6$, $W_7$, $W_8$}という可能的な世界を取り出します。

確認のため、練習問題をやってみてください。論理空間をもう一度記しておきましょう。

$W_1$……〈aは点灯している〉、〈bは点灯している〉、〈cは点灯している〉
$W_2$……〈aは点灯している〉、〈bは点灯している〉
$W_3$……〈aは点灯している〉、〈cは点灯している〉
$W_4$……〈aは点灯している〉
$W_5$……〈bは点灯している〉、〈cは点灯している〉
$W_6$……〈bは点灯している〉
$W_7$……〈cは点灯している〉
$W_8$……

**練習問題2** 「bは点灯していない」が取り出す可能的な世界は何でしょうか。

これは簡単だったと思います。次はどうですか?

**練習問題3** 「aが点灯しているか、または、bが点灯している」が取り出す可能的な世界は何でしょうか。

**練習問題4** 「aが点灯し、かつ、bも点灯している」が取り出す可能的な世界は何でしょうか。

「bは点灯している」が取り出すのは{$W_1$, $W_2$, $W_5$, $W_6$}ですから、その否定が取り出すのはそれ以外の{$W_3$, $W_4$, $W_7$, $W_8$}です。これが練習問題2の答え。

「aが点灯しているか、または、bが点灯している」は「aは点灯している」が取り出す可能的な世界と「bは点灯している」が取り出す可能的な世界を合わせたもの、{$W_1$, $W_2$, $W_3$, $W_4$, $W_5$, $W_6$}です。これが練習問題3の解答。

「aが点灯し、かつ、bも点灯している」は「aは点灯している」が取り出す可能的な世界と「bは点灯している」が取り出す可能的な世界の共通部分、{$W_1$, $W_2$}です。これが練習問題4の解答。

一般に、「AまたはB」が取り出す可能的な世界は、「A」が取り出す可能的な世界と「B」が取り出す可能的な世界を合わせたものになり、「AかつB」が取り出す可能的な世界は、「A」が取り出す可能的な世界と「B」が取り出す可能的な世界の共通部分になります。

「AならばB」とか「すべて」と「ある(存在する)」はどうなるのかといった問題はありますが、ここでは立ち入りません。★37 だいじなことは、こうして作られる真理関数の全体こそが、何ごとかを「語っている」すべてだということです。

要素文の真偽は、それが表現している可能的な事態が現実に成立しているかどうかを調べることによって知られます。「富士山は江戸時代に噴火した」の真偽や「マルガレーテはルートヴィヒの姉だ」の真偽は調査によって確かめられます。要素文の真偽が確定したらそれによって真偽が確定するものが、真理関数です。ですから、真理関数は、世界のあり方を調べることによって真偽が確定する文にほかなりません。（要素文も真理関数とみなされます。要素文Aは、一つの要素文Aから構成される最も単純な真理関数です。）

『論考』が言う「語る」とは、世界のあり方を記述しているということです。それは世界のあり方に応じて真偽が言えるということですから、真理関数こそが世界のあり方を「語る」文なのです。

こうして『論考』は、「語りうる」ことを規定し、それに基づいて、自我、生と死、価値、倫理、論理といった哲学問題を語りえぬものとして、まっとうな「語り」から排除します。本書は言語哲学に焦点を当てているので、その詳細には入りませんが、一点だけ述べておくべきことがあります。『論考』はそうした問題を語りえぬものとしますが、しかし、それはけっしてそうしたことがらを軽視したり無視したわけではないということです。哲学の問題はウィトゲンシュタインにとって切実なものでした。なんとかしたいと心の底から思っていた。だからこそ、そうした問題を明晰に論理だった思考で考察しようとすることの無意味さを自覚するに至ったのです。『論考』の終わり近くに、こう書かれています。

六・五二二　だがもちろん言い表わしえぬものは存在する。それは示される。それは神秘である。

## 5　フレーゲ、ラッセルとの対比

### 指示対象と意義

前章の最後に引用しておいたところを再掲しましょう。

フレーゲの教えるところによれば「文は名である」。それに対してラッセルは「文は複合物に対応する」と述べた。どちらもまちがっている。「文は複合物の名である」と言うのであれば、それはいっそう誤りである。ひとは事実を名指すことはできない。

フレーゲ的な考え方は、大きく二本の柱からなっていました。ひとつは文脈原理と合成原理の提唱で、もうひとつは意味に指示対象という側面と意義という側面を考えた点です。文脈原理に関しては、ウィトゲンシュタインはその精神を受け継いで、さらにその「文脈」を言語全体へと拡張しています。また、語の指示対象と論理形式が理解されれば文の意味も理解できますから、合成原理も守っています。ウィトゲンシュタインがフレーゲに異を唱えたのは、意味に指示対象と意義という二つの側面を認めたことです。

フレーゲに従えば、文の指示対象は〈真〉ないし〈偽〉です。そこでフレーゲは、文は〈真〉ないし〈偽〉を指示する固有名だと言うのです。ウィトゲンシュタインが「フレーゲの教えるところによれば「文は名である」」と書いているのはそのことです。もちろん、文の意味が〈真〉か〈偽〉かの二つだけなんてことはありえませんから、フレーゲは文に対して、意義という意味の側面として、その文の真理条件を考えます。

それに対して『論考』は、語は対象を表わし、語の理解には論理形式の理解が伴っているとします。そしてそこから論理空間を形成して、論理空間上で文の真理条件を捉えます。ここにおいて、語の意義は考えられていません。また文の意味としては真理条件しか考えません。つまり、語の意味にも文の意味にも指示対象と意義という二つの側面を考えるフレーゲに対して、なるほど語の意味と文の意味には異なった性格があるけれども、それぞれの意味に二つの側面

――外延的側面と内包的側面――を考える必要などありはしないと言うのです。

**質問**　でも、フレーゲは固有名の意味にも意義という側面を認めなくちゃいけないという議論をしていましたよね。それに対してウィトゲンシュタインはどう答えるんです？

そうそう。そこです。でも、その問題はラッセルに対する批判を見てから考えましょう。

**文の構造を捉えねばならない**

ラッセルは語であれ文であれ、意義という意味の側面を認めません。ただひたすら指示対象だけで考えていこうとする。そこでラッセルは、文の指示対象は命題であると考えます。ウィトゲンシュタインの批判は、ラッセルのこの考えに向けられています。先の引用でウィトゲンシュタインが「ラッセルは「文は複合物に対応する」と述べた」と言うときの「複合物」とは、個体、性質、関係からなる複合物としての命題のことです。「「文は複合物の名である」と言うのであれば、それはいっそう誤りである」と、ラッセルを批判します。

前章の終わりに引用したもうひとつの箇所を再掲しましょう。

正しい判断理論はすべて、「このテーブルはその本をペン立てる」と私が判断することを不可能にしなければならない(ラッセルの理論はこの条件を満たしていない)。文の構造を捉えねばならない。文の構造さえ捉えれば、あとは容易なのだ。

語は論理形式とともに理解されます。そして論理形式に従って文が作られ、そうして作られた文は可能的な事態を表現する。ウィトゲンシュタインが「文の構造を捉えねばならない」と言っているのは論理形式の把握のことでしょう。「このテーブルはその本をペン立てる」は論理形式に背いた文ですから、いかなる可能的な事態も表現していません。それゆえ、「このテーブルはその本をペン立てる」と判断することは不可能です。他方、ラッセルは指示対象だけでなんとかしようとして、論理形式のような考え方を取り込めていませんでした。そのため、〈このテーブル〉、〈その本〉、〈ペン立て〉という要素を組み合わせて〈このテーブルはその本をペン立てる〉という命題を作ってはならないということが、ラッセルの理論からは出てこないじゃないか、と批判されたのです。

しかし、たんに論理形式という考え方が欠けていたというだけでなく、ここにはもっとずっと根深い言語観、いや世界観の相違があると私には思われます。一見すると、ラッセルが「命題」と呼ぶものと『論考』が「事態」と呼ぶものは同じもののようにも見えます。しかし、事実は存在していますが、事実として成立していないたんなる可能的な事態は存在しません。〈富士山に小惑星が衝突した〉という事態は、ただ「富士山に小惑星が衝突した」という文によって表現されるだけです。ですから、可能的な事態が言語以前に存在して、それを指示することで文が意味をもつようになるというのはまったくの転倒なのです。

語と対象が分節化され、論理形式に従って語を組み合わせて文が作られ、文が可能的な事態を表現します。ウィトゲンシュタインが、「文の構造を捉えねばならない。文の構造さえ捉えれば、あとは容易なのだ」と言っているのはこのことにほかなりません。可能的な事態を思考することができるから、それによって文が意味をもつのではなく、有意味な文を作ることができるから、それによって可能的な事態が表現されうるのです。

## 6　フレーゲからの挑戦に答える

### 単純な対象

固有名にも意義という内包的側面を考えるべきとしたフレーゲの議論――同一性問題と信念文の問題――に対して『論考』はどう答えるのか。この問題に向かいましょう。

ラッセルも『論考』同様に意義という意味の側面を認めませんでした。そして同一性問題に対しては、ふつうに固有名とされる語は実は固有名ではなく、対象を直接指示する「これ」や「あれ」といった語こそが本当の固有名なのだと論じました。ウィトゲンシュタインがラッセルのこの議論をどう捉えていたかはよく分かりません。しかし、ウィトゲンシュタインもまた本当の固有名は何なのかについて考えていたと思われます。先に補足的に少しだけ説明を与えておいたように(一八九ページ)、『論考』は、固有名が指示する対象は「単純」でなければならないと考えていました。そしてすでに引用したように、単純な対象ということで何を考えてよいのか、悩んでいたようです。[★38]『論考』は哲学問題を解消するという目的のもとに書かれていますから、日常言語こそが意味や論理の基盤であるとしながらも、私たちの言語実践の具体的なあり方には関心をもっておらず、日常言語を支える言語や論理の本質を取り出すことに向かっていました。

しかし本書での私たちの関心はあくまでも日常言語にあります。ですから、単純な対象という問題に踏み込むことは控えましょう。『論考』からは少し離れることになりますが、日常言語で固有名とされる語はそのまま固有名として捉えることにします。その上で、意義という意味の側面を考えずに、どうやって同一性問題と信念文の問題というフレーゲからの挑戦に答えるか、できるかぎり『論考』の考え方に即しながら、考えてみましょう。

### 同一性問題

さて、同一性問題、覚えてますか？

「フォスフォラスとヘスペラスは同じものだ」という同一性を主張する文を考えましょう。もし固有名の意味が指示対象に尽きるとしたら、「フォスフォラス」と「ヘスペラス」はまったく同じ意味ですから、「フォスフォラスとヘスペラスは同じものだ」の「ヘスペラス」を「フォスフォラス」に変えても文全体の意味は変わらないはずです。

「フォスフォラスとヘスペラスは同じものだ」……①

↓

「フォスフォラスとフォスフォラスは同じものだ」……②

でも、①には認識価値があるけれど、②はあたりまえで情報量ゼロです。この①と②の意味の違いを捉えるには、指示対象だけで固有名の意味が尽くされると考えてはいけない。フレーゲはそう議論しました。

これに対してウィトゲンシュタインはこう応答します。

六・二三二　フレーゲは、このような二つの表現［目下の例で言えば「フォスフォラス」と「ヘスペラス」］は同じ指示対象をもつが、その意義は異なる、と論じた。

しかし、等号で結ばれた二つの表現が同じ指示対象をもつことは、その二つの表現それ自体から見てとられることであり、それを示すのに等式は不要なのである。ここに、等式の本質がある。

いや、分かりにくいです。ちょっと他の箇所も参照しながら解きほぐしましょう。ウィトゲンシュタインは、そもそも「……は……と同じだ」という同一性は「……は……の姉だ」といったふつうに関係とされるものとは違うと指摘します。これは言われてみればまったくその通りで、「マルガレーテはルートヴィヒの姉だ」であれば、〈マルガレーテ〉と〈ルートヴィヒ〉という二人の関係ですが、同一性を主張するときには二つの対象の関係ではありません。

五・五三〇三　ひとことで言うならば、こうである。二つのものについて、それらが同一であると語ることはナンセンスであり、一つのものについてそれが自分自身と同一であると語ることは、まったく何ごとも語っていない。

なので、「同一性が対象間の関係でないことは明らかである」(五・五三〇一)と言われます。じゃあ、同一性の主張は何を言っているのか。ウィトゲンシュタインの答えはこうです。

六・二三　二つの表現が等号で結ばれるとき、それは、両者が互いに置換可能であることを意味している。

つまり、「フォスフォラスとヘスペラスは同じものだ」という主張は、「フォスフォラス」という語と「ヘスペラス」という語が文の真偽を変えずに相互に交換可能であることを述べたものだというのです。「フォスフォラスは太陽系の惑星だ」と「ヘスペラスは太陽系の惑星だ」は、一方が真ならば他方も真で、一方が偽ならば他方も偽です。

だとすると、「フォスフォラスとヘスペラスは同じものだ」は、「フォスフォラス」と「ヘスペラス」という二つの語は交換して使ってもよいという、語の使い方についての主張であって、「フォスフォラス」と「ヘスペラス」の指示対象(金星)についての言明ではないということになります。同一性を主張した文は、世界のあり方について何ごとかを述べたものではなく、言語規則の表現なのだというわけです。

実は、フレーゲも一時期この方向で考えていました。[39]しかし後に、同一性を主張する文が言語上の規則を述べたものにすぎないなら、「フォスフォラスとヘスペラスは同じものだ」がもっている認識価値を説明できないとして、自分自身のその考えを撤回し、意義の必要性を主張したのです。[40]

では、ウィトゲンシュタインはこの認識価値の問題についてどう答えるのでしょうか。『論考』には何も書かれていません。しかし、『論考』の考え方からすれば、同一性を主張した文は世界のあり方について何ごとかを語るものではありませんから、認識価値はないということになるでしょう。ということは、フレーゲがそうしたように、ウィトゲンシュタインもまた『論考』の考えを撤回して固有名の意味に意義という側面を認めるべきなのでしょうか。

いや、そうはならないと私は考えています。そして、同一性を主張した文には本当に認識価値はないのだ、とも。ええ、「フォスフォラスとヘスペラスは同じものだ」という文には認識価値はない、そう私は考えています。『論考』を離れて、しかし可能なかぎり『論考』の考え方を受け継ぎつつ、私自身の考えを述べてみましょう。

明け方に輝く「フォスフォラス」と夕方に輝く「ヘスペラス」が同じ星なのだというのは、新たな発見です。その発見以前は「フォスフォラス」と「ヘスペラス」は交換可能な語ではありませんでした。そこで、この発見に基づいて「「フォスフォラス」という語と「ヘスペラス」

という語はこれからは交換可能なものとして扱う」と、言語規則の変更が為されます。認識価値はこの言語変化において示されているのです。「フォスフォラスとヘスペラスは同じものだ」という文単独では認識価値はありません。「フォスフォラスとヘスペラスは同じものではない」から「同じものだ」へと変化することにおいて、認識価値が示されています。

言語変化において認識価値が示されるのは珍しいことではありません。「水は $H_2O$ である」という文を考えてみましょう。これは現代では「水」の定義です。仮に水とそっくりの液体があったとしても、分子構造が $H_2O$ ではなかったとしたら、それは水ではなく水によく似た別の液体とされるでしょう。しかし、「水」をこのように定義するのは、まさに水の分子構造が発見されたからです。古代ギリシアでは、水は四元素(火、空気、水、土)の一つとされていました。あるいは日常生活では、「水」とは飲めて洗濯ができる液体のように捉えられてもいるでしょう。それが一八世紀から一九世紀にかけて水の分子構造が明らかにされ、それによって「水」は「$H_2O$」として定義されたのです。

「水は $H_2O$ である」という文自体は定義ですから、言葉の使い方を示したもので、世界のあり方について何ごとかを語ってはいません。つまり、この定義それ自体に認識価値はありません。しかし、まさに新たな発見があったからこそ、この定義へと移行したのです。ですから、認識価値は定義それ自体に表現されているのではなく、新たな定義の採用という言語変化において示されるのです。

以上が私の考えですが、しかし、『論考』の考えに従えば、言語変化は語りえません。それゆえ言語変化を考えることも不可能です。理由は単純です。言語変化は論理空間の変化をもたらします。論理空間は思考可能性の総体を示していますから、論理空間の変化は思考不可能なのです。私はいま私が受け入れているこの論理空間において語り、考えるしかありません。そして論理空間の変化は、当然のこととして、いま私が受け入れている論理空間を超えていきます。ですから、論理空間の変化は語りえませんし、考えることもできません。

でも、言語は変化してきたし、これからも変化するに違いありません。なるほどそれはいま現在真偽を問えるような文としては――つまり真理関数としては――表現できないでしょう。しかし、言語変化があったし、これからもあるということに私は確信をもっています。言語変化を視野に入れることができないというのは、『論考』の窮屈さです。実際、『探究』において、ウィトゲンシュタインは言語に対してより柔軟な見方を展開していきます。ですから、『論考』自体ではフレーゲからの挑戦に十分に答えることができないとしても、『論考』を『探究』の方向へと一歩進めることによって、同一性問題というフレーゲからの挑戦には答えることができると思うのです。

## 信念文の問題

フレーゲからの挑戦のもうひとつは信念文の問題でした。「花子はフォスフォラスに生物がいると信じている」と「花子はヘスペラスに生物がいると信じている」の意味の違いをどう説明するのか。信念文の中の「フォスフォラス」と「ヘスペラス」がともに〈金星〉を指示するのであれば、「フォスフォラス」と「ヘスペラス」を入れ替えても文全体の真偽は変わらないはずです(指示の代入則)。でも、花子は「フォスフォラス」と「ヘスペラス」が同じ星だと思っていないとしたら、「花子はフォスフォラスに生物がいると信じている」が真であるとしても、「花子はヘスペラスに生物がいると信じている」が偽だということが起こりえます。

フレーゲはこのことから、固有名の意味にも意義という側面を認める必要性を訴えました。では、固有名の意味に意義という側面を認めない『論考』は、信念文において指示の代入則が成り立たないことをどう説明するのでしょうか。

『論考』でそのことが論じられている箇所を見てみましょう。ウィトゲンシュタインはまず、文はふつう真理関数の形で現われると確認します。例えば、「ＰかつＱ」という文はＰとＱの真偽が決まれば文全体の真偽も決まります。ところが信念文の場合にはそれが当てはまりません。引用してみましょう。

五・五四一　一見したところ、ある文[41]はこれとは別の仕方でも他の文の中に現われうるかのように思われる。

とくに、「Aはpであると信じている」や「Aはpと考える」といった心理に関わる命題形式の文において、そのように思われる。

「Aはpと考える」という文も取り上げられていますが、いまは信念について考えましょう。Aは人物です。「花子はフォスフォラスに生物がいると信じている」の例だと、花子がAに当たります。そしてpは信念内容で、「フォスフォラスに生物がいる」がそうです。そして、「花子はフォスフォラスに生物がいると信じている」という信念文の真偽は「フォスフォラスに生物がいる」という文の真偽には依存しません。このことがいま問題にされています。

問題の提示の仕方はフレーゲと少し違う形をしていますが、問われているのは同じです。「フォスフォラス」と「ヘスペラス」の指示対象は同一ですから、「フォスフォラスに生物がいる」と「ヘスペラスに生物がいる」の真偽は一致します。しかし、「花子はフォスフォラスに生物がいると信じている」と「花子はヘスペラスに生物がいると信じている」の真偽は必ずしも一致しません。この違いを意義という意味の側面を持ち込まずに説明しなければならないのです。ところが、ウィトゲンシュタインの答えはあまりに謎めいています。こうです。

五・五四二　しかし、明らかに、「Aはpと信じている」、「Aはpと考える」、「Aはpと語る」は、もとをたどれば「「p」はpと語る」という形式となる。

「明らかに」と書いてあるのにぜんぜん明らかじゃないというのはよくある話ですが、これは明らかにぜんぜん明らかではありません。以下、私の解釈を述べてみます。

信念文を考察する前に、「花子はフォスフォラスに生物がいると語った」という文を考えてみましょう。花子が行なったことは、文を書くか、口頭で話すか、あるいは手話を使うかでしょうが、いまは文を書いたことにします。この場合、「花子は「フォスフォラスに生物がいる」と書いた」が真でも「花子は「ヘスペラスに生物がいる」と書いた」が真とはかぎりません。それは「フォスフォラス」という文字列と「ヘスペラス」という文字列が違うものだからで、このことを説明するのに意義という意味の側面を持ち出す必要はありません。

もちろん花子は無意味な模様を書きつけたわけではありません。花子が何ごとかを「語った」と言えるのは、書きつけた文字列が意味内容をもつからです。いまの例で言えば、花子は「フォスフォラスに生物がいる」と文字列を書きつけて、その文字列が〈フォスフォラスに生物がいる〉という可能的な事態を表現しているから、「花子はフォスフォラスに生物がいると語った」と言えるわけです。

いま引用したところの「語る」に関するところを見ましょう。「『Aはpと語る』は、もとをたどれば「『p』はpと語る」という形式となる」とあります。「Aはpと語る」は、Aさんが「p」という文字列を書きつけて、その文字列「p」が〈p〉という内容を語っているということなのです。

少しほぐれてきました。この勢いで信念文も考えてみましょう。とはいえ、「何ごとかを信じている」とはどういうことなのか、はっきりしません。花子が本気で「フォスフォラスには生物がいるんだよ」とか語ってくれれば、花子はそう信じているのだなと分かります。その場合には、いま考えた「Aはpと語る」と同じことになるでしょう。だけど、花子は人知れずただ黙ってそう信じているかもしれません。しかしその場合でも、誰かが「フォスフォラスには生物がいるよね」と言えば、花子はそれに同意するはずです。そこで単純化して、「Aはpと信じている」とは、誰かが「p」と語ったときに同意することだと考えてみましょう。「p」と語ることは文を書くか、口頭で話すか、手話を使うかですが、簡単のためにここでも文を書くことだけを考えます。そうすると、「Aはpと信じている」というのは、誰かが「p」という文字列を書きつけ、その文字列「p」は〈p〉という内容を表現していて、Aはそれに同意する、ということだと言えます。

信念文の分析としては単純すぎるでしょうが、でも、根っこのところでは、pを信じているとは〈p〉という内容をもった文字列に同意するということが含まれていると言えそうです。そしてそうだとすれば、信念文の問題に対して意義という意味の側面を持ち出すことなく答えることができるでしょう。

「花子はフォスフォラスに生物がいると信じている」という文が真ならば、花子は誰かが「フォスフォラスに生物がいる」と語ったときに同意するはずです。そしてそう語ることは、その文字列を書き、それが〈フォスフォラスに生物がいる〉という内容を表現しているということです。だとすれば、「フォスフォラスに生物がいる」という文字列によって同意という反応が引き起こされたとしても、「ヘスペラスに生物がいる」という文字列によって同意という反応が引き起こされるとは限りません。理由は単純で、「フォスフォラス」と「ヘスペラス」は異なる文字列だからです。したがって、「花子はフォスフォラスに生物がいると信じている」が真であっても、「花子はヘスペラスに生物がいると信じている」が偽であるということが起こりうるのです。「Aはpと信じている」は、もとをたどれば「「p」はpと語る」という形式なのだ、という謎めいた主張を、私はこのように解釈します。

なんだか騙されたような感じがするという人もいるでしょう。だけど、私はこの議論は正しい方向を示していると考えています。[★42] フォスフォラスに生物がいると信じているとします。そこには、「フォスフォラスに生物がいる」という音列や文字列や手話の身振りに対するしかるべき反応が含まれるはずです。そして、それは必ずしも「ヘスペラスに生物がいる」という音列や文字列や身振りに対しても同じ反応を示すことを意味しません。これが、意義という意味の側面を持ち出さずに、信念文の問題に対して『論考』が与えた答えなのです。

## 7 『論理哲学論考』から『哲学探究』へ

『論考』を完成させた後、ウィトゲンシュタインは哲学から離れていきます。「語りえぬものについては、沈黙せねばならない」と稿を閉じて、本当に哲学的には沈黙するのです。それからおよそ十年後に哲学を再開し、『論考』を自ら批判して、新たな言語観へと進んでいくことになります。そして一九三六年から一九四六年にかけて後期ウィトゲンシュタインの主著である『哲学探究』を執筆します。

ここでは、ウィトゲンシュタインが『論考』のどこを批判したのか、そして新たにどのような方向を目指したのかを、ポイントを絞って見ることにしましょう。

## 要素文同士の論理的関係

哲学を再開したウィトゲンシュタインは、まず要素文についての『論考』の考えを批判します。要素文とは、固有名と述語だけから構成され、「ではない」、「かつ」、「または」、「ならば」といった論理語を含まない文です。『論考』では、論理的な関係をすべて論理語の働きとして説明したので、要素文同士は論理的な関係をもちえません。ＡとＢがともに要素文である場合には、Ａが真であることから、Ｂが真であることやＢが偽であることが論理的に帰結してはならないのです。

このことが、『論考』で要素文の具体例が出せない理由ともなっています。例えば、「ミケは猫だ」は固有名と述語からなる単純な文に思えますが、この文が真であることは同様に単純な文に思われる「ミケは動物だ」という文が真であることを帰結するでしょうし、また、「ミケは犬だ」といった文が偽であることを帰結します。つまり、これらの文の間には論理的関係があるということで、『論考』の観点からすると要素文ではないとされます。日常言語において単純に見える文が、『論考』では要素文とはみなされず、論理語をもった複合的な文として分析されねばならないのです。

しかし、そんなことを言ったら要素文を具体的に言うことができません。日常言語で可能なかぎり単純に思える文として「これは赤い」という文を考えたとしても、「これは赤い」が真であれば、同時に同じものに対して言われる「これは青い」は偽になります。それゆえ『論考』の観点からは要素文とはみなされません。

そこでウィトゲンシュタインは、要素文同士は論理的関係をもちえないとする考えを撤回することになります。ですが、私たちは『論考』の精神にできるだけ寄り添いながらも、日常言語のあり方に関心を向けてきました。そのため、「ミケは猫だ」は要素文として取り扱い、要素文同士は論理的関係に立ちえないという考えには触れずに話を進めてきました。ですから、ここでウィトゲンシュタインが示した転換の方向は私たちとしては大歓迎なのです。ここまで見てきた『論考』の言語観は、『論考』の精神に即しつつ、『探究』に向けて一歩を踏み出した後にも残される言語観だったと言えるでしょう。

## 静的言語観から動的言語観へ

『探究』においてウィトゲンシュタインは、まちがいなく『論考』を念頭において次のように述べます。

> 像が特定の使用を強いると私は思っていた。私が犯した誤りをそのように言うこともできるだろう。[★43]

「像」という用語について説明しておきましょう。いままでこの用語を用いずにきましたが、研究者たちは『論考』の言語論を「像理論」と呼んでいます。対象を代理する語をさまざまに組み合わせることによって、可能的な事態が表現されます。ここで語は音であったり文字であったり身振りであったりしますから、それを組み合わせることをウィトゲンシュタインは絵を描くことのように捉えて、ドイツ語で“Bild”と呼ぶのです。英語では“picture”で、日本語では「像」と訳されます。「富士山が噴火した」という文字を書きつけることは、文字模様を用いて富士山が噴火している事態を描いているというわけです。

いま引用した「像が特定の使用を強いると私は思っていた」の「像」はまさに『論考』で言われている「像」のことです。しかし、ここで『論考』の誤りとされているのは、たんに像理論の理論的瑕疵(かし)ではありません。像と言語使用の関係について、根本的な転換がはかられています。像(ビルト)は絵——静止画像——です。それに対して言語使用は、いわば動画だと言えるでしょう。『論考』では絵を描けばそれでよしとしていました。しかし、言語使用は動的なものです。コミュニケーションは時間がかかるものですし、また、言語使用は時とともに変化していきます。『論考』は言語を固定された体系として捉えています。そこが根本的にまちがっていたと、『探究』のウィトゲンシュタインは言いたいのです。

先に述べておいたように、『論考』も言語使用を有意味性の最終的な基盤として認めていました(一九四―一九五ページ)。ですから、『論考』に言語使用という観点がなかったとされるのは誤解です。しかし、『論考』では言語使用という本質的に動的なものを静的な体系として捉えようとした。そこがまちがっていたというのです。

『論考』は哲学問題を語りえぬもの、思考不可能なものとして解消しようとしました。そしてそれに成功したと信じて、序文において「問題はその本質において最終的に解決された」と書いたのです。ウィトゲンシュタインがそう確信しえた仕掛けは、論理空間という道具立てにあります。論理空間は思考可能な世界のあり方の総体です。ですから、論理空間の外部は思考不可能な領域です。そうして『論考』は哲学問題を論理空間の外部にあるとして、思考不可能なものとしたのです。このことが、『論考』が論理空間の変化を考えることができない理由にもなっています。私は、いま私が引き受けている論理空間の外を考えることができません。だから、この論理空間の変化を考えることができない。それはすなわち、言語変化を考えることができないということです。

なるほど、私はいま私が使っている言語によって思考するしかないので、言語がどのように変化するかをいま考えることはできないでしょう。しかし、だからといって言語変化を視野に入れることができない言語観はまちがっています。現在の言語使用についてどれほど完璧に一枚の絵（ビルト）を描こうとも、言語使用はそれをはみだし、変化しうるのです。

例えば、現在の言語使用では「猫が芽吹いた」は文字通りには無意味とされます。つまり、それは「猫」と「芽吹く」という語の論理形式に従っていません。しかし、それが比喩として用いられ(春になり、雌が発情前期の徴候を見せ始めた様子とか)、やがてその比喩が固定して辞書にも載るような言い回しになったとしたら、それは有意味とされ、論理形式も改訂されるでしょう。人間の性格に対して「甘い」とか「冷たい」のように言うのも、最初は論理形式に従わないものだったに違いありません。それが比喩的に使われ、定着し、いまでは「あの人は自分に甘い」などと、なんの違和感もなく使っています。

「論理空間」という用語が、まさに言語を空間的に捉えていることを表わしています。『論考』は言語を一望のもとに捉えたかったのです。しかし、言語使用は時間の内にあります。私は、『論考』から『探究』への変化の核心は、空間的な言語観から時間的な言語観への転換だと考えています。

では、『論考』で為されていた議論は捨て去られねばならないのでしょうか。いや、そんなことはありません。動的に推移していく言語の、いわば時間的な断面図——ある時点における言語使用のあり方を捉えた議論——として十分な有効性をもっています。言語実践を理論的に捉えようとしたら、どうしたってある時点での断面図を描くしかありません。そして適切な断面図を描くことによって、私たちの言語実践に対する理解も深まるのです。フレーゲも、ラッセルも、そして前期ウィトゲンシュタインも、言語を理論的に捉えようと試行錯誤しました。私たちはそこから豊かな洞察を得ることができます。

ただし、忘れてはならないのは、言語実践はそうした理論化を超えていく可能性をつねに秘めているということです。最後に、その思いをこめて、ウィトゲンシュタインの手稿から引用しておきましょう。

言葉はただ生の流れの中でのみ意味をもつ。[★44]

# 注

★1 「イデア」という哲学の言葉を知っている人は「猫のイデア」とか言いたくなるかもしれません。イデアというのは、何か時間・空間的規定のない存在だと思うのですが、正直に言って私は「猫のイデア」がどういうものなのか、よく分からないのです。仮に「猫のイデア」ということが言えたとしても、それは「猫」という語の意味を理解しているから、「猫のイデア」なるものが理解できるのであって、「猫」の意味を理解していない人に、まず猫のイデアを教えて、それによって「猫」の意味を教えるというのは、無理だろうと思います。ですから、イデアに訴える道は進まないことにします。

★2 ロック『人間知性論』(一六九〇年)、三・三・六(大槻春彦訳『人間知性論(二)』岩波文庫、一九七二年)。以下、本書における引用はすべて私自身が訳出しました。それはたんに翻訳するのが楽しかったからという理由で、既存の訳に不満があるわけではありません。(以下、引用文中の[ ]内は私の補足です。)

★3 ロック『人間知性論』四・七・九。

★4 バークリ『人知原理論』(一七一〇年)、序論六(宮武昭訳、ちくま学芸文庫、二〇一八年)。

★5 バークリ『人知原理論』序論一〇。

★6 バークリ『人知原理論』序論一五。

★7 ウィトゲンシュタイン『論理哲学論考』(完成は一九一八年)(野矢茂樹訳、岩波文庫、二〇〇三年)。『論考』はこんなふうに番号を振られた断章で構成されています。番号には階層があり、一の下には一・

一、一・二と続き、一・一の下にも一・一一、一・一二のように続きます。一応、メインの骨格が一―七の大きな番号で与えられ、それに対する議論や補足がその下の階層に書かれる体裁になっています。

★8　フレーゲ『算術の基礎』(一八八四年)、第六〇節(野本和幸・土屋俊編『フレーゲ著作集2』勁草書房、二〇〇一年)。

★9　言語表現とそれが表わしていることがらの区別を明確にしたいときには、言語表現に対しては「ミケは寝ている」のように「　」で括って表わします。他方、それが言語表現ではなく、その言葉が表わしていることがらであることを明確に示したいときには、〈ミケは寝ている〉のように〈　〉で括って表わすことにします。つまり、「ミケは寝ている」という言葉は〈ミケは寝ている〉という事実を表わす、というわけです。同様に、「ミケ」という言葉は〈ミケ〉という個体を表わします。

★10　真とか偽とか言われるのは、正確には文ではなく、ある場面での文の発話です。このことは、「今日は雨が降っている」のような文においてとくに重要になります。「今日は雨が降っている」という文は、いつどこで発話されるかによって真偽が変わるからです。でも、いまはその点はゆるく考えて、文に対して真偽が言われるとしておきます。

★11　ウィトゲンシュタイン『哲学探究』(執筆は一九三六―一九四六年)、第三〇節(鬼界彰夫訳、講談社、二〇二〇年)。

★12　論理学では、これで一階述語論理という体系が作れます。こうしたことをもう少し知りたいという人は、論理学関係の本を読んでみてください。

★13　フレーゲ「意義と意味について」(一八九二年)(黒田亘・野本和幸編『フレーゲ著作集4』勁草書房、一九九九年、所収)。

★14 飯田隆『言語哲学大全I』(勁草書房、一九八七年/増補改訂版、二〇二二年)では“Bedeutung”を「イミ」と訳しています。これを「指示」と訳してしまうと、フレーゲ解釈において重要な論点を先取りしてしまうことになるという理由だそうですが、いまはとくにフレーゲ解釈をしようとしているわけではないので、「指示」ないし「指示対象」と訳してもかまわないでしょう。

★15 文の意義を真理条件とするのは、フレーゲ解釈としては異論があるようです。飯田隆『言語哲学大全I』では、異論があることを踏まえつつ、フレーゲは文の意義を真理条件と考えていたとする解釈を示しています(増補改訂版、九四ページ)。いま私たちはフレーゲ解釈を目指しているわけではありませんから、文の意義を真理条件とするという考え方そのものに説得力があるということで十分でしょう。

★16 言語哲学では「単称名」という言い方もされますが、見た目でピンときやすいように、ここでは「個体指示語」という用語を使うことにします。

★17 飯田隆『言語哲学大全I』3・1—3・2にその経緯が詳しく述べられています。

★18 きちんと書くとこうなります。「あるxが存在し、(xは初代内閣総理大臣であり、かつ、すべてのyに対して(yが初代内閣総理大臣であるならば、yはxに等しい)、かつ、xは好色だ)」。「すべてのyに対して(yが初代内閣総理大臣であるならば、yはxに等しい)」のところが、初代内閣総理大臣である人は一人だけだということを表わしています。

★19 ラッセル『論理的原子論の哲学』(一九一八年の連続講義の記録)、第二講義(高村夏輝訳、ちくま学芸文庫、二〇〇七年、三九—四〇ページ)。

★20 正確に言えば、第二形態と第三形態は必ずしもラッセル自身の考え方の変化を示すものではありません。第三形態(本当の固有名の議論)へと向かう考え方は第二形態(記述理論)の時期においてすでに存在していたと言えるでしょう。しかし、記述理論から本当の固有名についての議論が導かれるわけではありません。両者は切り離すことのできる議論です。そこで、記述理論だけの提唱を第二形態、記述理論に本当の固有名についての議論を加えた議論を第三形態としました。

★21　ラッセル『論理的原子論の哲学』第二講義（邦訳、五〇ページ）。

★22　ラッセルは性質を表わす語を"predicate"、関係を表わす語を"verb"として区別しますが、いまこの区別にポイントはないので、両方とも「述語」で済ませることにします。

★23　原文は"dieser Tisch federhaltert das Buch."（英訳は"this table penholders the book."）ここでは動詞っぽくするために「ペン立てる」と訳しました。ウィトゲンシュタイン「草稿一九一四―一九一六」付録Ⅰ「論理に関するノート（一九一三年九月）」（奥雅博訳『ウィトゲンシュタイン全集1』大修館書店、一九七五年、二九七ページ）。

★24　同、二九二ページ。

★25　『探究』の言語観については、私の『『哲学探究』という戦い』（岩波書店、二〇二二年）を参照してください。

★26　ラッセルは『論理的原子論の哲学』の冒頭で、彼の論理的原子論はウィトゲンシュタインから学んだアイデアに基づいていると述べています。（ちなみに、ラッセルが論理的原子論の連続講義を行なった一九一八年は第一次世界大戦のさなかで、そのときウィトゲンシュタインは志願兵として従軍しており、ラッセルはウィトゲンシュタインの生死も知らない状態でした。）

★27　ウィトゲンシュタイン「草稿一九一四―一九一六」付録Ⅲ、一九二〇年五月六日付け（『ウィトゲンシュタイン全集1』三五七ページ）。

★28　小惑星の命名権は基本的に発見者にあります。中村さんは他にも発見した小惑星に「アンパンマン」と名づけています。

★29　個体も性質も関係も一律に「対象」と呼ぶのに合わせて、『論考』では固有名も述語も「名」と呼ばれます。しかし、述語を「名」と呼ぶのはあまり日常的な語感に合いませんから、本書では「固有名」と「述語」という言い方を続け、両方をまとめて言うときには、よりふつうの用語として「語」を使うことにします。

★30　「富士山に小惑星が衝突した」という文を命題関数を用いて表わせば、〈あるxが存在して、xは小惑星であり、かつ、xは富士山に衝突した〉となります。「小惑星」は固有名ではなく一般名ですから、述語として捉えられるのです。

★31　詳しくは、私の『『論理哲学論考』を読む』（哲学書房、二〇〇三年／ちくま学芸文庫、二〇〇六年）の第6章「単純と複合」を参照してください。

★32　ウィトゲンシュタイン「草稿　一九一四―一九一六」一九一五年六月二一日の記載（『ウィトゲンシュタイン全集1』二四六ページ）。

★33　ウィトゲンシュタイン『哲学探究』第一〇九節。

★34　「説明」はドイツ語で“Erklärung”（英訳では“explanation”）で、「解明」はドイツ語で“Erläuterung”（英訳では“elucidation”）です。

★35　ドイツ語は“Elementarsatz”で、一般には「要素命題」と訳されますし、私が翻訳した『論理哲学論考』でも、その用語を使っています。しかし、本書ではラッセルの「命題」と区別したいため、これまで「命題」という語を避けて「文」としてきました。（ラッセルの「命題」は文そのものではなく、文が意味するものです。）ですから、ここでも「要素文」という言い方をすることにします。

★36　グスタフ・クリムトに「マルガレーテ・ストンボロー＝ウィトゲンシュタインの肖像」という絵があります。

★37　論理についての詳細は、私の『『論理哲学論考』を読む』第8章「論理はア・プリオリである」と第9章「命題の構成可能性と無限」を参照してください。

★38　先に引用したところを繰り返しておきましょう。「草稿」にはこう書かれています。「われわれはくりかえし単純な対象について語り、しかも、どのような例を挙げればよいのか、何ひとつ分からなかった。これが、われわれの困難であった。」（「草稿　一九一四―一九一六」一九一五年六月二一日の記載）

★39　フレーゲ『概念記法』（一八七九年）、第8節（藤村龍雄編『フレーゲ著作集1』勁草書房、一九九九年、所収）。

★40　フレーゲ「意義と意味について」（『フレーゲ著作集4』七一―七二ページ）。

★41　私が翻訳した『論理哲学論考』では「命題」と訳しています。しかし、本書ではラッセルの「命題」と区別したいため、「文」とします。

★42　私の見るところ、ドナルド・デイヴィドソンは、『論考』のこの方向をさらに追究した説を展開しています。デイヴィドソン「そう言うことについて」（一九六八―一九六九年）（野本和幸・植木哲也・金子洋之・高橋要訳『真理と解釈』勁草書房、一九九一年、第四章）。

★43　ウィトゲンシュタイン『哲学探究』第一〇四節。

★44　ウィトゲンシュタイン『ラスト・ライティングス』第九一三節（古田徹也訳、講談社、二〇一六年）。

# おわりに

現代の言語哲学の源流を見てきました。源流といってもすでにかなりの水量を誇っていると思いますが、言語哲学はここからさらに豊かな流れとなり、また、いくつもの多彩な話題へと展開していきます。

一番大きいのは言語行為論の登場でしょうか。この本では、言葉の意味を主として言葉と世界との関係において捉える、「意味論」と呼ばれる側面からアプローチしました。だけど、言うまでもありませんが、言葉は基本的に人と人とがやりとりするものです。私たちは、言葉を用いて何かをしてもらおうとお願いしたり、挨拶したり、約束したりします。こうした、人と人とが言葉を使って何ごとかを為そうとするという側面に光を当て、その観点から言葉の働きを解明しようとしたのが、言語行為論です。

そこで、もっと学びたいという人のために本を紹介しておきましょう。まず、本書のフレーゲとラッセルの議論に関して、より深く学び、考えるには、次が最適です。

飯田隆『言語哲学大全Ⅰ』(勁草書房、一九八七年/増補改訂版、二〇二二年)

いま少し触れた言語行為論も含め、現代の言語哲学のさまざまな話題に触れるには、次がよいでしょう。

野本和幸・山田友幸編『言語哲学を学ぶ人のために』(世界思想社、二〇〇二年)

W・G・ライカン『言語哲学――入門から中級まで』(荒磯敏文・川口由起子・鈴木生郎・峯島宏次訳、勁草書房、二〇〇五年)

『言語哲学大全』はさらにⅣ巻まであり、Ⅱ―Ⅳ巻はあまり入門書とは言い難い内容に踏み込んでいます。入門書としては、服部裕幸『言語哲学入門』(勁草書房、二〇〇三年)や八木沢敬『はじめての言語哲学』(岩波書店、二〇二〇年)などがあります。どうぞ自分に合った本を見つけてください。

「はじめに」でも述べたように、言語哲学に関して私は門前の小僧にすぎません。ウィトゲンシュタインは立ち入って研究しましたが、フレーゲとラッセルに関しては一通り関連するテキストを読んではいますけれども、研究者レベルの検討はしていません。そこで、正確を期すために、とくにフレーゲ、ラッセルの言語哲学を専門とする北海道教育大学の中川大教授に原稿を見ていただきました。おかげで、いくつかの点で改善することができました。

正確な記述はもちろん必要不可欠の条件ですが、しかし、私が目指したのは、そこではありません。私は言語哲学入門の参考書としてこの本を書いたのではないのです。ほら、自分が面白かった話って、他の人に話したくなりませんか？　私の動機はほぼそれに尽きています。だから、「面白かった！」と言ってもらえれば、もうほんとうにそれで満足なのです。いまこの本を手にとってくれているあなたの、そんな声が聞きたくて、この本を書きました。

野矢茂樹

二〇二三年八月

な　行



は　行



ま　行



や　行



ら　行

# 索　引

それぞれの項目について，理解に資すると思われるページを挙げた．

野矢茂樹

1954(昭和29)年，東京都に生まれる．東京大学大学院博士課程単位取得退学．東京大学大学院総合文化研究科教授を経て，現在，立正大学文学部教授．専攻は哲学．
著書—『哲学の謎』(講談社現代新書，1996年)
『哲学・航海日誌』(春秋社，1999年／中公文庫，2010年)
『『論理哲学論考』を読む』(哲学書房，2002年／ちくま学芸文庫，2006年)
『入門！ 論理学』(中公新書，2006年)
『語りえぬものを語る』(講談社，2011年／講談社学術文庫，2020年)
『心という難問』(講談社，2016年)
『まったくゼロからの論理学』(岩波書店，2020年)
『『哲学探究』という戦い』(岩波書店，2022年)
訳書—ウィトゲンシュタイン『論理哲学論考』(岩波文庫，2003年) ほか多数．

言語哲学がはじまる　　岩波新書(新赤版)1991

2023年10月20日　第1刷発行
2024年 4 月15日　第6刷発行

著 者　野矢茂樹(のやしげき)

発行者　坂本政謙

発行所　株式会社 岩波書店
〒101-8002 東京都千代田区一ツ橋 2-5-5
案内 03-5210-4000　営業部 03-5210-4111
https://www.iwanami.co.jp/

新書編集部 03-5210-4054
https://www.iwanami.co.jp/sin/

印刷・三陽社　カバー・半七印刷　製本・中永製本


ISBN 978-4-00-431991-7　　Printed in Japan

# 岩波新書新赤版一〇〇〇点に際して

ひとつの時代が終わったと言われて久しい。だが、その先にいかなる時代を展望するのか、私たちはその輪郭すら描きえていない。二〇世紀から持ち越した課題の多くは、未だ解決の緒を見つけることのできないままであり、二一世紀が新たに招きよせた問題も少なくない。グローバル資本主義の浸透、憎悪の連鎖、暴力の応酬——世界は混沌として深い不安の只中にある。

現代社会においては変化が常態となり、速さと新しさに絶対的な価値が与えられた。消費社会の深化と情報技術の革命は、種々の境界を無くし、人々の生活やコミュニケーションの様式を根底から変容させてきた。ライフスタイルは多様化し、一面では個人の生き方をそれぞれが選びとる時代が始まっている。同時に、新たな格差が生まれ、様々な次元での亀裂や分断が深まっている。社会や歴史に対する意識が揺らぎ、普遍的な理念に対する根本的な懐疑や、現実を変えることへの無力感がひそかに根を張りつつある。そして生きることに誰もが困難を覚える時代が到来している。

しかし、日常生活のそれぞれの場で、自由と民主主義を獲得し実践することを通じて、私たち自身がそうした閉塞を乗り超え、希望の時代の幕開けを告げてゆくことは不可能ではあるまい。そのために、いま求められていること——それは、個と個の間で開かれた対話を積み重ねながら、人間らしく生きることの条件について一人ひとりが粘り強く思考することではないか。その営みの糧となるものが、教養に外ならないと私たちは考える。歴史とは何か、よく生きるとはいかなることか、世界そして人間はどこへ向かうべきなのか——こうした根源的な問いとの格闘が、文化と知の厚みを作り出し、個人と社会を支える基盤としての教養となった。まさにそのような教養への道案内こそ、岩波新書が創刊以来、追求してきたことである。

岩波新書は、日中戦争下の一九三八年一一月に赤版として創刊された。創刊の辞は、道義の精神に則らない日本の行動を憂慮し、批判的精神と良心的行動の欠如を戒めつつ、現代人の現代的教養を刊行の目的とする、と謳っている。以後、青版、黄版、新赤版と装いを改めながら、合計二五〇〇点余りを世に問うてきた。そして、いままた新赤版が一〇〇〇点を迎えたのを機に、人間の理性と良心への信頼を再確認し、それに裏打ちされた文化を培っていく決意を込めて、新しい装丁のもとに再出発したいと思う。一冊一冊から吹き出す新風が一人でも多くの読者の許に届くこと、そして希望ある時代への想像力を豊かにかき立てることを切に願う。

（二〇〇六年四月）